L'ASILE

L'ASILE

Madeleine Roux

Traduit de l'anglais par
Roxanne Berthold

ADA
éditions

Éditeur : François Doucet
Traduction : Roxanne Berthold
Révision linguistique : Nicolas Whiting
Correction d'épreuves : Nancy Coulombe, Féminin pluriel
Images de la couverture : La fille : © 2013 Carmen Gonzalez / Trevillion Images, Texture : © 2013 Naoki Okamoto / Getty Images, Photo des bordures : © 2013 iStock Photo, Les clés : © 2013 Dougal Waters / Getty Images, Les docteurs : Library of Congress, G. Eric et Edith Matson Photograph Collection, La chambre intérieure : Library of Congress, Prints & Photographs Division, HABS PA, 51-PHILA, 354-106, Forceps : © 2013 Vadim Kozlowsky / Shutterstock.com
Conception de la couverture : Cara E. Petrus et Sammy Yeun
Montage de la couverture : Mathieu C. Dandurand
Mise en pages : Sébastien Michaud
ISBN papier 978-2-89767-656-8
ISBN PDF numérique 978-2-89767-657-5
ISBN ePub 978-2-89767-658-2
Première impression : 2017
Dépôt légal : 2017
Bibliothèque et Archives nationales du Québec
Bibliothèque et Archives Canada

Éditions AdA Inc.
1385, boul. Lionel-Boulet
Varennes (Québec) J3X 1P7, Canada
Téléphone : 450 929-0296
Télécopieur : 450 929-0220
www.ada-inc.com
info@ada-inc.com

Diffusion
Canada : Éditions AdA Inc.
France : D.G. Diffusion
Z.I. des Bogues
31750 Escalquens — France
Téléphone : 05.61.00.09.99
Suisse : Transat — 23.42.77.40
Belgique : D.G. Diffusion — 05.61.00.09.99

Imprimé au Canada

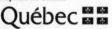

Financé par le
gouvernement
du Canada | Canada

Crédit d'impôt   Gestion
livres   SODEC

Participation de la SODEC.
Nous reconnaissons l'aide financière du gouvernement du Canada par l'entremise du Fonds du livre du Canada (FLC) pour nos activités d'édition.
Gouvernement du Québec — Programme de crédit d'impôt pour l'édition de livres — Gestion SODEC.

Catalogage avant publication de Bibliothèque et Archives nationales du Québec et Bibliothèque et Archives Canada

Roux, Madeleine, 1985-

[Asylum. Français]
L'Asile
Traduction de : Asylum.
Suite : Le sanctuaire.
«Tome 1».
Pour les jeunes de 12 ans et plus.
ISBN 978-2-89767-656-8
I. Berthold, Roxanne. II. Titre. III. Titre : Asylum. Français.

PZ23.R698As 2016   j813'.6   C2016-942272-0

Scrutant profondément ces ténèbres, je me tins longtemps
plein d'étonnement, de crainte, de doute, rêvant des rêves
qu'aucun mortel n'a jamais osé rêver.

— Edgar Allan Poe

PROLOGUE

Ils la bâtirent dans la pierre, une pierre gris foncé, soutirée des montagnes inhospitalières. C'était une maison pour accueillir les gens incapables de prendre soin d'eux-mêmes, ceux qui entendaient des voix, qui avaient des pensées étranges et des agissements bizarres. La maison devait les contenir. Et une fois entrés, ils n'en sortiraient jamais.

CHAPITRE
N° 1

Dan crut qu'il allait être malade.

L'étroite route graveleuse malmenait son taxi depuis au moins huit kilomètres, à présent, et cela s'ajoutait à l'agitation qu'il ressentait à l'idée de sa première journée à l'école. Le chauffeur ne cessait de pousser des jurons au sujet des bosses et des crevaisons. Dan espéra seulement qu'il n'aurait pas à payer pour les dommages — le trajet depuis l'aéroport était déjà assez dispendieux.

Même si c'était le début de l'après-midi, la lumière extérieure était tamisée en raison de la forêt dense de part et d'autre de la route. « Il serait facile de se perdre dans ces bois », songea Dan.

— Toujours vivant derrière ?

— Quoi ? Ouais, ça va, fit Dan, qui s'aperçut du coup qu'il n'avait pas parlé depuis qu'il était monté à bord. Je suis impatient d'arriver sur une surface égale, voilà tout.

Enfin, le taxi approcha d'une clairière, et le décor se transforma en une toile tachetée d'un vert argenté sous le soleil estival.

Le bâtiment se dressait devant lui : le Collège du New Hampshire. Ce serait le lieu de résidence de Dan pour les cinq prochaines semaines.

L'école d'été — sa bouée de sauvetage — avait fait figure de lumière proverbiale au bout du tunnel pour Dan pendant toute l'année scolaire. Il allait passer du temps avec d'autres jeunes qui souhaitaient apprendre et qui prenaient le temps de faire leurs devoirs à l'avance — au lieu de les faire dans une ruée folle avant le son de la cloche alors qu'ils étaient accotés à leur case. Il avait déjà très hâte de se trouver entre ses murs.

Depuis la fenêtre de la voiture, Dan aperçut des immeubles qu'il reconnut pour les avoir vus dans le site Web du collège. Des édifices en briques de style colonial étaient disposés autour d'une place publique au gazon vert émeraude, parfaitement tondu et taillé. Il s'agissait des bâtiments académiques où Dan savait qu'il suivrait ses cours. Déjà, quelques lève-tôt se lançaient un disque volant sur la pelouse. Comment ces garçons avaient-ils réussi à se faire des amis si vite? Peut-être que ça serait réellement aussi facile que ça ici.

Le chauffeur hésita à un carrefour à quatre voies. En diagonale et à droite se dressait une jolie église au charme rétro munie d'un haut clocher blanc, suivie d'une rangée de maisons. Dan tendit le cou vers l'avant et vit le chauffeur actionner le clignotant pour tourner à droite.

— C'est à gauche, en fait, lâcha Dan en se calant de nouveau dans son siège.

Le chauffeur haussa les épaules.

— Si tu le dis. Cette foutue machine semble incapable de se décider.

Comme pour illustrer son propos, le chauffeur frappa du poing l'écran de l'unité GPS fixée au milieu du tableau de bord. Le chemin tracé par l'appareil semblait s'arrêter là.

— C'est à gauche, répéta Dan, mais avec moins d'assurance cette fois.

Il n'aurait pu dire comment il savait quel chemin à emprunter — après tout, il n'avait pas consulté les indications routières avant de venir —, mais quelque chose dans la petite église en parfait état évoqua chez lui un souvenir, voire une intuition.

Les doigts de Dan pianotèrent contre le siège; il était impatient de voir où il allait résider. Comme la résidence qui hébergeait les étudiants d'ordinaire était en rénovation pour la période estivale, tous les étudiants du programme préparatoire au collège habiteraient dans un ancien immeuble du nom de Brookline que sa trousse d'admission avait décrit comme «un ancien établissement de santé mentale et un site historique». En d'autres mots, c'était un *asile*.

À l'époque, Dan avait été étonné de ne trouver aucune photographie de Brookline sur le site Web, mais il comprit pourquoi quand le taxi tourna un coin et que l'immeuble devint visible.

Peu importait que l'administration du collège ait repeint ses murs extérieurs ou qu'un jardinier plein d'initiative se soit un peu emballé en plantant des hortensias égayants le long du sentier; Brookline s'élevait d'un air menaçant au bout de la route comme un signal. Dan n'aurait jamais cru qu'un édifice puisse avoir l'air *menaçant*, mais Brookline y parvenait et en rajoutait encore. On aurait même dit que l'immeuble l'observait.

«Rebrousse chemin maintenant», chuchota la voix dans son esprit.

Dan frissonna, incapable de faire autrement que d'imaginer comment les patients d'une autre époque s'étaient sentis au moment de leur admission dans cet asile. En avaient-ils eu conscience? Est-ce que certains d'entre eux avaient éprouvé cette même panique étrange, ou avaient-ils été trop déments pour comprendre?

Puis, Dan secoua la tête. C'étaient là des pensées ridicules... Il venait ici à titre d'étudiant, et non de patient. Et comme il l'avait assuré à Paul et Sandy, Brookline n'était plus un asile; l'hôpital psychiatrique avait fermé ses portes en 1972, année où le collège en avait fait l'acquisition pour transformer l'édifice en résidence étudiante avec étages mixtes et salles de bains communes.

— Nous y voilà, affirma le chauffeur de taxi, mais Dan remarqua qu'il avait immobilisé la voiture à 10 mètres du bord de trottoir.

Peut-être que Dan n'était pas le seul à ressentir l'énergie bizarre qui se dégageait des lieux. Malgré tout, il sortit son portefeuille et en cueillit 3 des 4 billets de 20 $ que ses parents lui avaient donnés.

— Gardez la monnaie, dit-il en sortant de la voiture.

Le fait de retrousser ses manches et de ramasser ses affaires dans le coffre prêta enfin une impression de réalité à la journée de Dan. Un garçon coiffé d'une casquette de baseball bleue passa près de lui d'un pas flânant, une pile de bandes dessinées usées dans ses bras. Cette vision fit sourire Dan. «Je suis parmi mes pairs», songea-t-il. Et sur cette pensée, il se dirigea vers la résidence qui serait sa maison pour les cinq prochaines semaines.

CHAPITRE
N° 2

Si garer une BMW flambant neuve dans le stationnement vous donnait un certain prestige au lycée de Dan, les produits Apple et une quantité volumineuse de livres semblaient indiquer que vous étiez branchés au CPNH.

Voilà le nom sous lequel ils devaient tous désigner le programme, comme Dan l'apprit rapidement. Les collégiens bénévoles, qui étaient là pour distribuer les clés de chambre et aider les jeunes à emménager, entonnaient continuellement les mots «Bienvenue au *CPNH*», et la seule fois où Dan s'était aventuré à utiliser le terme «Collège préparatoire du New Hampshire», ils l'avaient dardé d'un regard lui apposant l'étiquette de «mignon, mais naïf».

Dan gravit les marches de l'entrée et aboutit dans un grand hall d'entrée. Le lustre énorme ne parvenait pas à compenser les ténèbres occasionnées par la multitude de boiseries et les meubles rembourrés. Par un passage vouté grandiose à l'autre bout du hall, Dan aperçut un large escalier bordé d'un couloir de chaque côté. Même le va-et-vient grouillant d'étudiants ne parvenait pas à chasser tout à fait la sensation de lourdeur.

Dan entreprit de monter l'escalier avec ses valises. Trois longues volées de marches plus tard, il parvint à sa chambre, le numéro 3808. Il posa ses sacs et ouvrit la porte pour découvrir que le compagnon de chambre qui lui avait été attribué avait déjà emménagé, ou peut-être que «rempli les lieux» serait une façon plus appropriée de dire les choses. Des livres, des magazines de manga et des almanachs de tous types et tailles (la plupart s'intéressant à la biologie) étaient placés soigneusement en ordre selon la couleur dans les bibliothèques fournies. Les affaires de son compagnon occupaient exactement la moitié de la chambre, et ses valises étaient bien refermées et glissées sous le lit le plus près de la porte. La moitié de la penderie était déjà remplie de chemises, de pantalons et de manteaux suspendus : il y avait des cintres blancs pour les chemises et les blousons, de même que des cintres bleus pour les pantalons.

On aurait cru que ce type habitait là depuis des semaines.

Dan hissa ses valises sur le lit inoccupé, puis il inspecta le mobilier qui lui appartiendrait pour l'été. Le lit, la table de chevet et le bureau semblaient tous en bon état. Il ouvrit le premier tiroir du bureau par simple curiosité en se demandant s'il y trouverait un exemplaire de la Bible des Gédéons ou peut-être une lettre de bienvenue. Il découvrit plutôt un petit bout de ce qui semblait être du papier photo. Le morceau de papier était vieux, décoloré au point d'être complètement blanchi. Il distingua vaguement l'image d'un homme le fixant des yeux, un gentilhomme à lunettes d'un certain âge vêtu d'une blouse de médecin et d'une chemise sombre. Il n'y avait rien de remarquable sur la photo à l'exception des yeux — enfin, de l'endroit où les yeux s'étaient trouvés. Quelqu'un les avait rayés de manière peu soignée — peut-être même dans un geste de colère.

CHAPITRE
N° 3

Daniel Crawford?

Dan pivota sur lui-même, tenant toujours la photo. Un adolescent dégingandé se tenait juste à l'extérieur de l'embrasure de la porte, vêtu comme un missionnaire faisant du porte-à-porte : chemise blanche empesée, cravate noire et pantalon plissé.

— Salut, le salua Dan en agitant un peu la main. Tu es mon compagnon de chambre?

— On dirait bien, oui.

La phrase fut prononcée d'un ton plus fervent que sarcastique.

— Mon nom est Félix Sheridan, ajouta le garçon. Je t'ai fait sursauter?

— Non, non. C'est seulement que… j'ai trouvé cette photo. Du moins, je crois que c'est une photo; ça pourrait aussi être une carte postale ou autre chose, je suppose. De toute façon, quelqu'un s'est vraiment défoulé dessus. C'est plutôt bizarre.

Dan brandit la photo et haussa les épaules. Ça ne semblait pas être le moyen idéal de briser la glace, mais il n'avait jamais été très doué pour les premières impressions.

— As-tu reçu quelque chose comme ça? Peut-être que c'est une sorte de chasse au trésor.

— Rien de semblable, non, fit Félix en clignant de ses yeux d'un bleu laiteux. J'ai reçu la brochure du nouvel étudiant, de l'information sur la sécurité dans la résidence et le catalogue des cours. Mais c'est arrivé par la poste il y a quelques semaines.

— Ouais, j'ai reçu tout ça, moi aussi, répondit Dan avec un haussement d'épaules nerveux. Je me demandais, voilà tout. Ce n'est pas grave.

Dan replaça la photographie dans le tiroir, qu'il referma. Il pourrait certainement passer l'été sans l'ouvrir de nouveau.

— Je pourrais numériser la photo et faire une recherche pour toi. C'est assez simple : il suffit de lancer une recherche d'image inversée. En fait, maintenant que j'y pense, ça me rappelle un peu…

— Merci, mais laisse tomber, l'interrompit Dan, qui souhaita n'en avoir jamais parlé. Hé, n'y a-t-il pas une fête de bienvenue ou un truc du genre auquel nous sommes tous censés assister?

— Si tu m'avais laissé terminer… commença Félix d'un ton calme avant de patienter l'espace d'un moment ultra-pénible. J'allais dire que ça me rappelle les photos que j'ai trouvées en bas.

— Attends, tu parles sérieusement? Que veux-tu dire?

Dan ne pouvait faire autrement; cette histoire piquait sa curiosité.

— Il y a un bureau abandonné au premier étage, expliqua Félix. Je crois qu'il appartenait au directeur du vieil asile ou à quelqu'un du genre. Il y a des papiers, des images et d'autres objets à la vue de tous. Il y a un panneau qui indique que l'endroit est censé être interdit d'accès, mais la serrure de la porte a été forcée.

— Tu es entré dans le bureau?

Dan n'était pas du genre à briser les règles, et même s'il ne savait que peu de choses sur son compagnon de chambre jusqu'à présent, il lui semblait que Félix se classait dans la même catégorie.

Félix opina.

— J'arrive de là-bas, en fait. Et sans avoir regardé la pièce de très près, je suis presque certain qu'il y avait des photographies comme la tienne.

«Elle n'est pas à moi, songea Dan en frémissant. Je ne suis que le malchanceux qui l'a trouvée.»

— Peut-être que tu devrais visiter le bureau. Mais il faut que je t'avertisse, c'est un endroit plutôt perturbant, et c'est peu dire.

Félix ne paraissait pas perturbé, toutefois. En fait, alors qu'il était debout dans l'embrasure de la porte, il semblait lancer un défi à Dan. Cependant, Dan avait autre chose en tête.

— Bon, es-tu prêt pour la fête? dit-il.

Félix entra dans la chambre et se dirigea vers le placard en tendant tout de suite la main vers un blouson marine.

— C'est vrai, fit-il avant de rejoindre Dan près de la porte. As-tu croisé des filles jusqu'à présent? Il ne semble y en avoir qu'une poignée sur notre étage. Mais je parie qu'il y en aura d'autres à la fête. Hein, Daniel?

Dan dévisagea son compagnon de chambre en essayant d'additionner tout ce qu'il savait sur lui pour tenter d'aboutir sur la somme d'une personne cohérente. Il se demanda si tous les participants de ce programme seraient aussi pleins de contradictions. En théorie, ça ferait changement par rapport au rythme du lycée, où tous ceux que Dan connaissait étaient si prévisibles. *En théorie...*

— Je suis certain qu'il y aura des filles, mais…

Félix le regarda avec intérêt.

— Écoute, je suis tout sauf un bon ailier pour la drague. Tu auras peut-être plus de chance si tu pourchasses les filles en solo.

Il se sentait un peu mal de balayer Félix du revers de la main comme ça quand ce dernier essayait simplement de se montrer amical, mais Dan se surprit à vouloir tenir son compagnon de chambre à distance, *surtout* en ce qui concernait les filles.

— Très bien. De toute façon, ce serait probablement mieux pour nous de ne pas entrer en conflit à propos des mêmes filles. N'est-ce pas?

Dan poussa un petit soupir et opina de la tête.

Les couloirs étaient bondés de jeunes qui emménageaient. Plusieurs d'entre eux avaient formés des petits groupes et discutaient. Pourquoi Dan n'avait-il pas pu tomber sur l'un d'entre eux comme compagnon de chambre?

— Regarde, Daniel Crawford, ordonna Félix en immobilisant Dan à l'approche du hall de l'entrée principale.

Il pointa dehors, là où des étudiants traversaient la pelouse.

— *Des filles*. Assez de filles pour nous deux.

En dégageant doucement son bras de la poigne moite de Félix, Dan passa la porte. Sa journée irait en s'améliorant. Il le fallait bien.

× × × × × ×

— Eh bien, je me sens comme un adulte. Et toi?

Dan prit une autre bouchée de sa glace à la menthe et aux brisures de chocolat.

Félix regarda dans le vide.

— Je ne suis pas certain de comprendre ce que tu veux dire.

— Je parle de ceci, fit Dan en soulevant le petit bol de glace en papier, qu'il fit danser de droite à gauche. Toute cette réunion sociale avec glaces. C'est un peu comme… Je ne sais pas. C'est comme si nous étions redevenus des bambins à une fête d'anniversaire.

Il scruta la petite cuillère de bois accompagnant le bol. Elle ne réussit qu'à le faire se sentir plus ridicule.

Ils se trouvaient à la Place Wilfurd, une grande cafétéria et salle de bal située dans l'un des immeubles donnant sur la place publique. Au-dessus d'eux, une lucarne en coupole laissait filtrer les dernières traces du soleil. Le crépuscule descendant donnait à la pièce une teinte violette tandis que dehors, un brouillard s'installait sur le terrain.

— Je n'associe pas la glace à mon enfance, dit Félix.

«C'est probablement parce que tu n'as jamais été invité à une fête d'anniversaire.» Dan se réprimanda tout de suite. Il devait s'efforcer d'être plus aimable, mais jusqu'à maintenant, toute conversation avec Félix s'était avérée impossible.

— Personnellement, j'espérais avoir l'occasion d'obtenir des conseils sur les cours de biologie à prendre, mais je n'aperçois aucun des professeurs associés à… Attends ! Je pense que c'est peut-être le professeur Soams qui arrive. J'ai lu sa dissertation à propos de l'évolution des pathogènes microbiens…

Dan ne saisit pas le reste des paroles de Félix, beaucoup trop heureux de le voir se faufiler dans la foule en direction d'un homme âgé se tenant dans le coin opposé. Cependant, même s'il était soulagé par cette pause de Félix, il prenait douloureusement conscience du fait qu'il était seul parmi une foule.

Espérant qu'il n'aurait pas l'air aussi mal à l'aise qu'il l'était en réalité, Dan enfonça une autre pleine cuillerée de glace fondante dans sa bouche. Elle avait un goût de craie, comme un médicament. L'odeur désagréable d'une cigarette allumée flotta depuis les portes ouvertes sur l'extérieur, et Dan eut l'impression de se refermer comme une huître.

«Calme-toi, Dan. Tu vas bien, tu vas bien.»

De la sueur froide et fourmillante s'amassa au bas de sa nuque. Il se sentit étourdi, et la lucarne se mit à tournoyer — en fait, toute la salle se mit à tournoyer. Il tenta d'agripper la table derrière lui, mais rata sa cible et tomba à la renverse. Dans une seconde, il percuterait le sol.

Une main solide lui empoigna le bras pour le ramener à la verticale.

— Holà! Prends garde, mon vieux, ou tu porteras cette glace sur ta tête.

Dan battit des paupières, et peu à peu, sa vision redevint claire. Devant lui se trouvait une fille de petite taille aux grands yeux bruns et à la peau olive et crémeuse. Elle lui tenait toujours le bras. Elle portait un chemisier ample et déboutonné, éclaboussé de peinture par-dessus un débardeur. Son jean était déchiré et accompagné de lourdes bottes noires.

— Merci, dit Dan qui inspecta sa propre chemise pour s'assurer de n'avoir rien renversé. Je pense qu'il fait trop chaud ici.

Elle sourit, et il lança :

— Je m'appelle Dan Crawford, en passant.

— Abby. Abby Valdez, dit la fille.

Ils se serrèrent la main. La poigne d'Abby était forte et chaude.

— En tout cas, tu as raison pour ce qui est de la chaleur, fit Abby, qui repoussa sa chevelure ondulée en grognant.

Ses cheveux retombèrent sur une épaule comme un rideau noir. Des plumes pourpres et vertes étaient enchevêtrées dans les boucles.

— Ils pourraient bien actionner un ventilateur, à tout le moins.

— N'est-ce pas ? Dis, euh… que penses-tu du collège jusqu'à maintenant ? demanda Dan.

Cela lui semblait être une bonne question, une question normale à poser, surtout après un quasi-évanouissement qui n'avait résolument *rien* de normal. La docteure Oberst lui disait continuellement que s'il se sentait angoissé durant une conversation, il lui suffisait de poser des questions à son interlocuteur et de le laisser prendre le contrôle de la conversation pour une minute.

— Je préférerais ne pas séjourner dans un vieil asile, mais sinon, c'est chouette. Pourquoi es-tu ici ? Je veux dire : quels cours suivras-tu ?

— Je vais étudier l'histoire surtout et peut-être un peu la psychologie. Et toi ?

— Je te laisse une chance de deviner, répondit Abby en riant. Je te donne un indice : ce n'est pas l'astrophysique.

Dan observa les éclaboussures de peinture sur son chemisier et les taches sombres sur ses mains ; il y avait des traces de crayon dans les plis de ses jointures et les lignes de ses paumes.

— Hum, l'art?

— Intrigue résolue du premier coup! lança Abby en lui donnant un petit coup sur le bras. Ouais, comme les cours en studio sont censés être géniaux, je me suis dit que c'était une bonne occasion de travailler sur ma technique avant la date limite pour l'envoi de portfolios pour l'inscription au collège. Mais qui sait, n'est-ce pas? Il y a beaucoup trop de choix.

Elle parlait rapidement et d'un ton énergique, passant d'une pensée à l'autre en ne prenant presque pas la peine de souffler entre chaque phrase. Dan opina de la tête et poussa des «hum-hum» quand il le jugea opportun.

Sans qu'il s'agisse d'un mouvement conscient, ils se glissèrent tous les deux vers la porte ouverte.

— Ça va mieux, maintenant? lui demanda Abby.

— Que veux-tu dire?

Dan s'immobilisa à l'embrasure de la porte. Dehors, un disque volant qui brillait dans le noir fila dans les airs. Une dizaine d'étudiants s'étaient réunis sur la pelouse pour disputer une autre partie impromptue de disque volant.

— Je parle de tout à l'heure, quand tu t'es presque évanoui.

— Oh, ça. Ouais, ça va. Je crois que c'était la chaleur, et je n'ai pas beaucoup mangé aujourd'hui.

C'était une excuse assez plausible, puisqu'il ne savait jamais exactement ce qui déclenchait ces épisodes. Pour être honnête, il était plutôt content de cet incident en particulier, sans lequel il n'aurait jamais fait la connaissance d'Abby.

Dan pointa du doigt les étudiants qui couraient sur la pelouse.

— Es-tu une grande sportive?

— Moi ? demanda Abby en jouant avec une plume dans ses cheveux et en riant. Pas vraiment. Lors des matchs à mon école, je suis normalement assise dans les gradins. Je joue du piccolo dans l'orchestre de l'école. Ce n'est pas mon activité préférée, mais papa dit que ça viendra « équilibrer » ma personnalité aux yeux des collèges.

— Je n'ai jamais été un grand sportif non plus.

Ils s'attardèrent en haut de l'escalier pour observer la partie.

— Mon père en est un peu déçu... Il était friand de base-ball à mon âge.

C'était un euphémisme. Son père adoptif, Paul, avait décroché une bourse d'études collégiales en raison du base-ball, et il avait mis beaucoup de pression sur Dan pour qu'il s'inscrive dans la ligue pour enfants, puis la ligue junior avant que Dan n'en puisse plus et admette qu'il voulait plutôt participer à un camp scientifique.

— Eh bien, si tu es ici, ça doit signifier qu'il n'est pas *trop* déçu. Tu as assez de cervelle pour être accepté en...

Abby s'interrompit pour agiter vigoureusement la main à un garçon qui marchait dans leur direction. Ce dernier coupa en travers la partie de disque volant d'un pas allègre en ignorant les joueurs qui lui crièrent à la tête. Le regard de Dan se promena d'Abby à son ami, et son estomac se noua. Il n'avait pas le moindre droit sur elle (il la connaissait depuis tout au plus 10 minutes), mais il devait admettre qu'il avait été excité de faire la rencontre d'une autre personne venue seule au collège comme lui. À présent, il ne pouvait s'empêcher de regarder l'étranger, avec ses cheveux, son visage et ses vêtements taciturnes et cool, et de songer qu'il n'était pas de taille.

— Quoi de neuf, les tronches?

— Jordan, sois gentil, dit Abby en roulant des yeux. Je te présente Dan. Dan, voici Jordan, et je te promets qu'il n'est pas un abruti.

— Pas du tout, fit Jordan. Je suis seulement un trouduc. Alors, comment ça va, Dan? Tu t'ajustes bien au camp des tronches?

Il portait des lunettes minces et à la mode et un foulard effiloché vert enroulé lâchement autour de son cou. Dan envia au type sa barbe d'un jour parfaite, un look que Dan ne pourrait jamais recréer avec sa pilosité faciale qui poussait en touffes isolées.

— T'es sérieux, Jordan? Qui essaies-tu d'impressionner? Je suis désolée, Dan, il fait le crâneur. Je l'ai rencontré totalement par hasard dans le bus, en route vers le collège, et il est très gentil une fois que tu apprends à le connaître.

Abby poussa un petit cri quand Jordan la tira vers lui pour l'étreindre de côté. Dan fut mué par le fort désir de détourner le regard. Il n'avait pas besoin d'être témoin de leurs cajoleries.

— Très bien, très bien. Recommençons à zéro.

Jordan recula, se frotta les paumes, puis replaça ses lunettes.

— Je suis Jordan. Heureux de faire ta connaissance. Maintenant, cesse de me lancer des regards noirs. Abby n'est vraiment pas mon type, d'accord?

— Mon Dieu, Jordan, ce n'est *pas* ce que j'appelle une amélioration!

Abby serra les bras autour d'elle en râlant et se détourna pour tenter de cacher la rougeur qui avait gagné ses joues.

— Je suis désolé, Abbadabadou. L'ennui, c'est que c'est facile de te taquiner.

Dan eut la sensation d'avoir manqué un détail, parce que les deux comparses éclatèrent alors d'un rire hystérique. Il se sentit mis à l'écart, comme si 100 kilomètres les séparaient. Sa confusion devait se lire sur son visage, car Abby haussa les sourcils à l'intention de Jordan, et Jordan, en roulant des yeux, prit un ton patient pour servir à Dan une explication qui lui donna l'impression d'avoir cinq ans.

— Je suis homosexuel. Voilà pourquoi Abby n'est pas mon type.

— Oh, d'accord. Ouais.

Dan se foutait du fait que Jordan soit homosexuel, mais il savait que n'importe quel mot qu'il prononcerait pour se défendre ne réussirait qu'à le faire paraître encore plus idiot. Déjà, Abby et Jordan étaient passés à un badinage joyeux et détendu, et tout d'un coup, Dan était devenu l'étranger qui observait la scène en marge. S'ils étaient parvenus à devenir de si bons amis après une seule randonnée en bus, ils n'auraient certainement pas d'ennuis à se faire d'autres amis, des amis qui n'étaient pas aussi coincés et perdus que Dan.

— Apparemment, il y a un vieux bureau qui donne la chair de poule au premier étage de la résidence, lâcha soudain Dan.

Ses joues brillaient, il en était certain. De petits picotements de chaleur se répandirent sur son visage tandis que Jordan et Abby cessèrent de parler brusquement. Ils se tournèrent pour le fixer en tandem.

— Pardon? lui demanda Jordan en fronçant les sourcils.

— À l'intérieur de Brookline? Près du hall d'entrée?

Il ne voulait pas avoir l'air trop empressé, mais à tout le moins, Abby paraissait intéressée : elle avait penché la tête d'un côté et se mordillait la lèvre d'un air pensif.

— Je pense que je suis passée devant. Le local est ver-rouillé, par contre. Comme s'il était en quarantaine, dit-elle.

— Félix, mon compagnon de chambre, a réussi à y entrer. Il dit que le bureau est totalement accessible. Ça pourrait être chouette d'aller l'explorer, vous savez, peut-être après les heures de cours.

Ce ne fut qu'une fois qu'il eut prononcé ces derniers mots que Dan saisit l'étrangeté de sa proposition. Inviter deux personnes qu'il connaissait à peine à aller rôder dans le noir…

Jordan sembla lire dans ses pensées. Il secoua la tête et joua d'un air absent avec les effilochures de son foulard. La bravade dont il avait fait montre quelques instants plus tôt avait disparu.

— Ça semble être contre les règles. Au risque de passer pour un nul, je n'ai pas vraiment envie de me faire mettre à la porte dès la première journée. Je ne veux pas être expulsé *du tout*, en fait, mais surtout pas le premier jour.

— Il dit que le local est déverrouillé, Jordan. Ça semble indiquer que son accès n'est pas interdit, fit remarquer Abby avant d'adresser un sourire éclatant à Dan. Je trouve l'idée intéressante… et je suis constamment à la recherche de sources d'inspiration. Je parie qu'il y a plein de trésors rétro dans ce bureau.

— Il y a des photographies, dit Dan avant que Jordan puisse jouer à l'éteignoir encore une fois. Félix a dit qu'il y avait beaucoup de photographies.

— Des photos! Encore mieux. J'adore les vieilles photos en noir et blanc.

Elle donnait des coups de coude à Jordan, qui ne semblait toujours pas chaud à l'idée.

— Le bureau était carrément *ouvert*? En es-tu certain? demanda-t-il.

Dan opina de la tête.

— C'est ouvert selon mon compagnon de chambre, en tout cas. Et il ne semble pas être du type à exagérer. Il a dit qu'il y a une serrure sur la porte, mais qu'elle est brisée.

— Tu parles d'une négligence, fit Abby.

— C'est carrément étrange, ajouta Jordan en se frottant les coudes comme s'il avait soudainement froid. Je ne sais pas, Abby. Ça ressemble plus à ton genre d'activités. Ces conneries macabres, ce n'est pas mon truc.

— Tu ne vas pas passer ton tour, lui dit-elle d'un ton ferme. N'est-ce pas, Dan?

Les yeux d'Abby scintillèrent.

— Oh… bien sûr que non! Tu dois venir avec nous.

L'espace d'une minute, il avait espéré explorer le bureau seul avec Abby.

— Je ne sais pas…

Du bout du pied, Jordan poussa des grains invisibles sur le sol.

— Ça me semble risqué.

Il tenait là un bon argument. Peu importe ce que disait Dan à propos de la serrure brisée, il était presque sûr que l'accès au bureau était interdit. Et s'ils se faisaient prendre et renvoyer, comme Jordan le craignait, jamais Dan ne se le pardonnerait. Ce serait bien pire que de seulement ruiner son propre été; il serait responsable d'avoir ruiné le leur aussi. Ce ne serait pas idéal comme première impression!

Cependant, il lui semblait avoir ouvert une boîte de Pandore, que les possibilités offertes par une visite de l'ancienne aile avaient déjà fait croître pour qu'elle échappe à son contrôle. De plus, s'il se montrait honnête, Dan désirait vraiment savoir si la pièce contenait plus de photos comme celle trouvée dans sa chambre.

— Allons, insista Dan, le doigt pointé vers la silhouette dégingandée de Félix qui circulait toujours parmi la foule à l'intérieur. Si *lui*, il a visité le bureau, ça ne doit pas être bien terrible.

Jordan jeta un regard discret vers Félix avant de pousser un ronchonnement.

— Quelle est cette expression constamment ressassée au sujet de la pression des pairs, déjà? «Si ton ami se jette en bas du pont, bla-bla-bla»?

— Dans ce cas, Dan et moi irons là-bas sans toi. N'est-ce pas, Dan? affirma Abby avec une assurance que Dan admira.

— D'accord, j'ai compris!

Jordan rit et donna un coup de coude à Abby avant d'ajouter:

— Vous gagnez la partie. Allons nous jeter en bas du pont.

CHAPITRE
N° 4

Dan les aperçut alors qu'ils l'attendaient au bas de l'escalier. Il avait failli être en retard à cause de l'appel à ses parents. Mais une fois qu'il avait assuré à Paul et Sandy qu'il était arrivé au collège en un seul morceau et que ses amis, Jordan et *Abby*, l'attendaient au rez-de-chaussée, sa mère l'avait laissé partir avec un petit pépiement joyeux.

Derrière Jordan et Abby, quelques lampes scintillaient dans le hall d'entrée. Jordan était adossé contre l'une des hautes colonnes blanches qui soutenaient la voûte d'entrée. Il agita la main à l'approche de Dan tout en balançant une lampe de poche dans l'autre main.

Abby avait revêtu un pull turquoise et relevé ses cheveux en une queue-de-cheval relâchée.

— Salut, chuchota-t-elle en jetant un regard à la ronde. Un surveillant de couloir est passé par ici il y a quelques minutes, mais il n'y a rien eu depuis. Es-tu prêt ?

Dan opina de la tête et les rejoignit sous la voûte. Jordan testa le fonctionnement de la lampe de poche en tournant le faisceau vers chacun d'eux, tour à tour.

— Voici notre dernière chance de faire demi-tour et d'agir de manière raisonnable, proposa Jordan. Par exemple, en allant dans ma chambre pour boire un coup et regarder des épisodes de *ThunderCats*.

Abby plissa le nez et lui donna mollement un coup de poing sur l'épaule.

— Tu ne vas pas te dégonfler maintenant. De toute façon, nous pourrons toujours faire ça après.

— Je vais t'obliger à tenir parole, murmura Jordan en les suivant dans le couloir silencieux et faiblement éclairé. Parce que je vais résolument avoir besoin d'un verre après ceci.

Dan comprenait son point de vue. À présent qu'il était là, il était si nerveux qu'il en était presque étourdi. Ce n'était pas une sensation tout à fait agréable, mais c'était une grande amélioration par rapport à son angoisse habituelle.

Ils avancèrent furtivement dans le couloir, dépassant le babillard des avis et des activités, les machines distributrices et un ascenseur bancal et hors service. Plus ils s'enfonçaient dans le couloir et moins il y avait de plafonniers, si bien que lorsqu'ils atteignirent la porte du vieux bureau, ils furent pratiquement plongés dans une obscurité totale. Jordan leva le faisceau de sa lampe de poche de leurs pieds à la porte, et le cœur de Dan se serra : la porte était clairement verrouillée. Et la pancarte mentionnée par Félix était en fait une grande affiche comportant les mots «Accès interdit» en lettres rouges à l'air grave.

— Je croyais que c'était un cas d'accès sans entrave, chuchota Jordan.

— Je jure que…

Félix lui avait-il menti ? Pourquoi aurait-il fait une telle chose ?

— La direction a dû se rendre compte que des étudiants circulaient dans le local et l'a donc verrouillé. Merde. Je suis désolé de vous avoir traîné jusqu'ici pour rien.

— Allons, allons. Ne prends pas un air si triste.

Jordan extirpa un trombone de sa poche et commença à le dérouler. Quand il eut terminé, il inséra une extrémité dans le cadenas et remua le trombone dans la serrure doucement.

— J'espère que vous savez que vous me devez beaucoup plus qu'une soirée *ThunderCats* en échange de ceci.

— Plutôt impressionnant, chuchota Dan.

Il avait vu des crochetages de serrure à la télé, mais ce n'était rien en comparaison avec le frisson sournois qu'il ressentait en observant quelqu'un le faire en personne.

Jordan sourit et s'interrompit un moment.

— Je peux aussi le faire avec une épingle à cheveux.

— Ça vous ennuierait de parler moins fort? fit Abby, qui leur jeta un regard par-dessus son épaule.

— Ta respiration est plus bruyante que nos paroles.

Jordan se mordit la lèvre inférieure dans un soupir impatient, et le cadenas trembla dans sa poigne.

— Peut-être que tu pourrais te dépêcher un peu, murmura Dan.

— Je travaille aussi vite que je le peux. C'est de l'art. Tu ne peux pas précipiter *l'art*.

Une sueur légère apparut sur le front de Jordan, humectant l'extrémité de sa frange.

— J'y suis… presque…

Dan entendit le plus doux des déclics.

— *Ça y est*!

Jordan rangea le trombone dans la poche de son pull kangourou et glissa le cadenas ouvert dans l'anneau sur le cadre de porte. Il poussa la porte, mais celle-ci ne céda pas.

— Dan, la porte est coincée, dit-il. Donne-moi un coup de main…

Dan et Abby posèrent les mains sur la lourde porte et poussèrent. On aurait d'abord dit que la porte leur opposait une force, mais elle commença à bouger.

Après une poussée finale des comparses, elle s'ouvrit en tremblant. Un nuage de poussière s'éleva dans un tourbillon et souffla sur eux à la manière d'un soupir soulagé, comme si une force refoulée avait enfin été libérée. La poussière disparut aussi rapidement qu'elle s'était soulevée — elle était probablement moins intense à cause de la visite de Félix plus tôt.

— Beurk, c'est *dégoûtant*!

Prise d'une toux, Abby recula et se couvrit la bouche pour se protéger de la poussière.

— Ça sent comme la maison de mon grand-père, dit Jordan, sa voix étouffée par les doigts plaqués contre sa bouche.

— Ils ne doivent plus nettoyer cette pièce.

Les yeux plissés, Dan scruta l'obscurité au-delà de la porte. À côté de lui, Jordan promena le faisceau de sa lampe de poche et illumina une grande pièce rappelant une aire de réception.

— À quand remonte la dernière fois où quelqu'un a travaillé ici, d'après vous?

— À l'âge de pierre, peut-être? plaisanta Abby.

Dan et elle actionnèrent les lampes de leurs téléphones cellulaires tandis que les trois complices s'aventuraient dans la pièce sombre. Leurs lampes projetèrent de petits faisceaux bleus et blancs d'une force insuffisante pour combattre les ténèbres.

Ils s'avancèrent plus loin dans la pièce. Peu à peu, des détails devinrent visibles: un comptoir bas à la gauche auquel une secrétaire avait dû s'asseoir pour travailler, un banc avec un coussin fixé au mur à la droite et des plafonniers austères, dénués depuis longtemps d'ampoules électriques. Devant eux, le long du mur le plus éloigné, se trouvait une porte mince à la vitre givrée.

— C'est dément, chuchota Jordan, qui se blottit davantage contre les deux autres. C'est comme si... cette pièce était figée dans le temps. Comme si ses occupants l'avaient tout simplement quittée du jour au lendemain.

Il passa devant Abby et Dan en direction du comptoir pour jeter un coup d'œil de l'autre côté.

— Des téléphones, des machines à écrire, *tout* est là.

— L'endroit a dû fermer ses portes soudainement, dit Abby.

Dan et elle dépassèrent Jordan pour s'approcher de la porte du bureau à l'intérieur. Le faisceau de la lampe de poche brilla par-dessus l'épaule de Dan et leur donna une meilleure vue sur les lettres mouchetées sur la vitre de la porte.

DI C UR RA F D

— Qu'en pensez-vous ? demanda Dan, qui se pencha plus près pour étudier les lettres et essayer de combler les espaces vides. Est-ce le bureau du directeur ?

— Fort probablement, acquiesça Abby. Tu crois que la porte est ouverte ?

— Il n'y a qu'une façon de le savoir...

En retenant son souffle, Dan tendit la main vers la poignée en remarquant au passage que des empreintes de doigt étaient visibles dans la poussière qui disparut sous sa paume, des traces probablement laissées par Félix, qui avait dû s'enfoncer plus loin dans la pièce, puisque Dan n'avait pas vu la moindre photo jusqu'à présent.

La porte céda dans un petit grincement et se rabattit vers l'intérieur sur des charnières serrées.

— Ouah, entendit-il Abby souffler.

— C'est exactement ce que je me disais, chuchota Dan.

Il s'essuya les mains pour en chasser la poussière collante et entra le premier, poussé quelque peu dans le dos par Jordan. Ce n'était que justice, étant donné que toute cette aventure vers l'inconnu était son idée, en théorie. Ils pénétrèrent dans un bureau qui aurait été spacieux sans toutes les bibliothèques et les classeurs massés dans l'espace, sans oublier les piles innombrables de papiers. Dan trébucha sur un lampadaire tombé et retrouva l'équilibre en empoignant le bord d'un grand bureau.

Sur le bureau, Dan remarqua un vieux téléphone à cadran posé près d'une pile de journaux et de carnets de notes élimés. Puis, il comprit que ce qui ressemblait à première vue à une boîte de réception pleine de papiers était en fait une pile de photographies pâlies moins poussiéreuses que tout le reste.

— Je pense que j'ai trouvé les photos dont Félix parlait, dit Dan.

Il tourna la lampe de son téléphone vers la première photo sur la pile, celle d'un homme grand, vêtu d'une blouse blanche et portant des lunettes que Dan reconnut. Il plissa les yeux pour discerner d'autres détails de l'image. C'était le même homme que celui de la photo trouvée dans le tiroir de son bureau. Il passa rapidement à la prochaine photo et poussa un cri.

— Qu'est-ce qu'il y a? Qu'est-ce qui ne va pas? demanda Abby.

— Rien, répondit Dan.

S'il admettait le lien qu'il venait de faire dans son esprit, il ne pourrait plus prétendre qu'il ne s'agissait que du fruit de son imagination.

La prochaine photo dans la pile illustrait des médecins regroupés autour d'un lit à roulettes. Un jeune homme portant une jaquette d'hôpital était couché sur le lit, le visage étrangement placide. L'un des médecins tenait sa tête entre ses mains tandis qu'un autre bouclait une lourde ceinture de cuir sur son front. Tout près, une infirmière tenait une seringue.

Abby vint se tenir à ses côtés pour examiner la photo, et ils tentèrent tous deux de donner un sens à l'image.

— Il devait s'agir d'une forme quelconque de traitement, énonça finalement Dan. C'était probablement un patient.

— Il est si jeune, dit Abby. Il doit avoir notre âge.

« Ça pourrait être moi. » Dan secoua la tête pour chasser cette pensée de son esprit. Il poussa la photo de côté et braqua la lampe de son téléphone sur la prochaine.

La photo présentait une femme attachée sur une table. Un casque duquel saillissaient des fils était posé sur sa tête. Un morceau de bois était enfoncé entre ses dents. À en juger par le casque et la pièce de bois, la femme semblait être torturée, comme une martyre.

Les photographies étaient horribles, mais Dan fut incapable de s'empêcher de passer à la suivante, puis à celle d'après. Chaque image montrait un patient subissant une forme de traitement, qu'il s'agisse de piqûres à l'air douloureux ou de l'isolement en cellule. Une photographie illustrant de l'hydrothérapie donna un haut-le-cœur à Dan. Des préposés aux soins visaient un patient recroquevillé et frissonnant dans le coin d'une pièce, complètement nu, avec un jet d'eau. Un médecin se tenait à côté, les bras croisés, le visage indifférent.

Dan avait déjà lu quelque chose à propos de ce genre de traitement désuet : en réalité, il entretenait une fascination morbide sur le sujet. Grandir dans le système des familles d'accueil avait fait naître en lui un intérêt pour les machines sociales, les systèmes qui prenaient des décisions *au nom* des gens plutôt qu'avec eux. Il ne comparaît tout de même pas sa vie aux tristes circonstances de ces pauvres gens. Le système avait pris une *bonne* décision pour lui, tout compte fait. Il n'aurait jamais échangé sa famille contre une autre.

— Attendez, les amis. Venez jeter un œil à ceci… commença Jordan, dont la voix entrecoupée attira leur attention.

Il se tenait à l'autre bout du bureau, sa lampe pointée vers le mur où d'autres photos étaient suspendues dans des cadres.

— Comme c'est atroce, dit Dan.

— *Silence*, fit Abby si faiblement qu'elle murmura à peine.

Elle se rapprocha d'une des photos, et avec sa manche, elle essuya doucement la poussière qui recouvrait la vitre du cadre. Il s'agissait d'une photographie d'une petite fille âgée d'une dizaine d'années tout au plus, dont les cheveux pâles tombaient plus bas que ses épaules. Elle se tenait debout, la main posée sur ce qui ressemblait à l'accoudoir d'un fauteuil, comme si elle prenait la pose pour un portrait officiel. Elle était vêtue d'une robe à motif imprimé et de bijoux fins. Cependant, une cicatrice irrégulière lui traversait le front, et quelque chose clochait dans son regard.

— Elle a l'air si triste, dit Abby.

« Triste » était une façon de la décrire. Elle aurait aussi pu utiliser le mot « vide ».

Abby demeura immobile et fixa si intensément la photographie qu'on aurait dit qu'elle était en transe. Dan n'avait pas le cœur de lui dire qu'à en juger par la cicatrice sur le front de la fillette et l'expression vacante dans ses yeux, il était probable qu'elle ait subi une lobotomie. Quels monstres auraient fait subir une lobotomie à une petite fille ?

La photo suspendue à côté le secoua hors de ses pensées. Elle montrait un patient qui se débattait contre deux préposés vêtus de tabliers blancs, qui lui plaquaient une muselière contre le visage. L'un des proposés qui le retenaient affichait un air tout à fait malfaisant. Dan fut hypnotisé par la photographie. Qui l'avait prise ? Qui avait pris toutes les autres photos, en fait, et qui les avait suspendues au mur ?

— C'est difficile de se dire qu'ils étaient ici pour obtenir de l'aide, dit Jordan.

— Ils étaient malades, répliqua automatiquement Dan.

— Et alors ? Ça te semble humain, comme traitement ? Ces médecins ne reconnaîtraient pas le serment d'Hippocrate même s'il leur donnait un coup de pied dans les couilles.

— Tu n'as aucune idée de ce qui se passait, rétorqua Dan, puis il s'interrompit.

Pourquoi ressentait-il le besoin de défendre les mêmes médecins qui avaient probablement pratiqué une lobotomie sur une enfant ou qui s'apprêtaient à torturer un homme ? Quand il baissa les yeux sur ses bras croisés, une pointe de peur traversa son corps, et il se dépêcha de remplir le silence inconfortable.

— Je suppose que nous avons de la chance que le domaine ait beaucoup progressé depuis.

— Pourquoi avoir laissé ces photos ici ? s'écria soudain Abby.

Elle gesticula vers les photographies. Son menton tremblait.

— Elles sont… horribles.

— Eh bien, au moins, elles sont honnêtes, répondit Jordan, qui passa un bras autour d'elle — bras qu'Abby repoussa. Je déteste quand les gens esquivent la vérité. Et n'oublions pas que cette pièce *était* verrouillée.

— Je me fiche.

Elle ne pouvait quitter des yeux la photographie de la fillette. Dan ressentit l'envie d'attraper la main d'Abby pour l'éloigner afin que la petite fille vide du cadre ne puisse se tendre vers elle et l'aspirer dans l'image. Bien entendu, c'était là une pensée ridicule.

— Elle ne devrait pas être ici. Elle devrait être en lieu sûr.

Lentement, Abby leva les deux mains et retira le cadre de son crochet. Une tache pâle apparut sur le mur là où le cadre avait été accroché. Abby serra la photographie contre sa poitrine, les bras enroulés autour du cadre de façon protectrice.

— Qu'est-ce que tu fabriques ? demanda Dan sans pouvoir s'en empêcher.

— Je vais l'amener dans ma chambre. Elle y sera en sécurité.

— Tu ne peux pas prendre la photo, Abby, fit Dan, qui tentait de ne pas laisser le désespoir poindre dans sa voix. Elle est *censée* rester ici. Tu dois la laisser tranquille.

Abby s'apprêta à répondre quand Jordan prit la parole.

— Hé, détendez-vous, tous les deux. Ce n'est pas comme si tu la connaissais, Abs. Tu devrais la raccrocher au mur. Quelqu'un pourrait remarquer son absence.

— Qui? demanda-t-elle d'un ton légèrement moqueur.

— Quelqu'un, répliqua Jordan avec irritation. Je ne sais pas… Peut-être qu'il y a un catalogue de toutes ces idioties quelque part ici.

Abby ne sembla pas entendre les paroles de Jordan. Elle se tint en silence comme une statue, serrant la photo contre sa poitrine.

— Je t'en prie, Abby, laisse-la où elle est. Elle est à sa place avec les autres, insista Dan. *Je t'en prie.*

Il n'arrivait pas à croire qu'il argumentait avec la fille la plus séduisante qu'il ait jamais rencontrée.

«Laisse-la prendre la photo, Dan. Tu veux te faire aimer d'elle.»

Mais le besoin de parler était plus pressant.

Les yeux d'Abby parurent presque aussi vides que ceux de la fillette de la photographie. Puis, un frisson la parcourut, et elle battit des paupières. Dans un geste doux, presque *affectueux*, elle raccrocha le cadre au mur. Elle le toucha une dernière fois et dit :

— Pauvre petit oiseau. Je me demande s'il a réussi à fuir sa cage.

Le fait de voir la photo à sa place soulagea Dan. Il n'aurait pu dire exactement pourquoi.

— Allons, fit Abby. Partons. J'en ai assez vu.

Ce fut le seul signal dont ils eurent besoin. Ils se précipitèrent hors du vieux bureau comme s'ils prenaient part à une course, et Dan ne fut que trop heureux de refermer la porte derrière eux.

— Hé, le cadenas, dit Jordan au moment où ils atteignaient les machines distributrices.

— Ne t'inquiète pas. Je m'en suis déjà occupé, dit Dan, prêt à déjà être très, très loin du bureau.

— En es-tu certain?

Sans attendre une réponse, Jordan se retourna pour contre-vérifier. Le cadenas pendait toujours de la porte où il l'avait laissé.

— C'est mon erreur, fit Dan avec un rire nerveux.

Il aurait pu jurer l'avoir refermé. Toutefois, sa mémoire lui jouait souvent des tours.

CHAPITRE
N° 5

Dan retourna à sa chambre, couvert de poussière et épuisé. Il ouvrit la porte avec soin afin de ne pas réveiller Félix et fit un pas dans la pièce, et c'est alors qu'une froideur fondit sur lui.

«Ce n'est pas ma chambre.» Dan cligna des yeux, désorienté. La pièce ressemblait à une espèce de cellule dont le plancher et les murs étaient faits de pierre grise. Une table d'opération couverte d'un drap blanc et mince se trouvait au milieu de la chambre. Il y avait une canalisation sanitaire dans le coin de la pièce le plus près de lui. À quelle fin? Dan ne pouvait que le deviner. Une petite fenêtre taillée au haut du mur le plus éloigné était couverte de barreaux métalliques disposés en treillis. Cependant, les éléments les plus troublants dans la pièce étaient les deux chaînes et entraves boulonnées au mur à la gauche. À première vue, Dan crut qu'elles étaient rouillées, mais à présent qu'il les observait de plus près, il constata que les taches rouge foncé étaient beaucoup trop humides pour être de la rouille.

«Pourquoi est-ce que je reconnais cette pièce?»

Dan referma rapidement la porte et entreprit de se frotter les bras pour chasser le froid. Il tenta de trouver une explication logique à ce qui venait d'arriver. Avait-il ouvert la mauvaise porte par erreur? C'était une bonne explication. Comme il était très fatigué, il avait dû prendre un mauvais tournant et s'était donc retrouvé dans la mauvaise chambre — une chambre cauchemardesque qui n'avait pas servi depuis des décennies.

«Mon œil!»

Il vérifia le numéro sur la porte : 3808.

C'était bel et bien le numéro de sa chambre. «Que s'est-il passé?»

Après s'être frotté les yeux de ses mains tremblantes, Dan ouvrit de nouveau la porte. Et sa chambre était là : il vit deux bureaux, deux chaises, deux lits et la masse endormie de Félix dans le lit le plus près de l'entrée.

Dan entra dans la pièce et referma la porte. Il s'adossa à celle-ci et tenta de reprendre son souffle. Il toussa en raison de la poussière toujours logée dans son nez et sa gorge. Son esprit avait erré, voilà tout. Il avait erré loin, d'accord, mais Dan en avait repris possession.

✕ ✕ ✕ ✕ ✕ ✕

Sans surprise, Dan ne put s'endormir. Il se tourna et se retourna dans tous les sens. Il réussit à bannir les photographies de son esprit pour les voir remplacées par l'étrange hallucination dont il avait été victime. Les ronflements intermittents de Félix n'aidèrent en rien. Vers 2 h 30, il abandonna l'idée du sommeil; il prit son ordinateur portable du bureau et regagna son lit. Peut-être pourrait-il en découvrir un peu plus sur Brookline et trouver quelque chose qui pourrait expliquer ces photographies atroces.

Il tapa les mots «Brookline» et «histoire» dans le moteur de recherche qui afficha une liste de diverses villes nommées Brookline. L'ajout du terme «New Hampshire» le pointa vers un résumé vague de l'histoire de l'hospice qui ne renfermait aucun détail inconnu de Dan. L'endroit avait hébergé des personnes souffrant de maladies mentales, tant des hommes que des femmes, et il avait été racheté par le collège après sa fermeture. Dan choisit d'effectuer une recherche par image. Tout de suite, une page de résultats remplie de photographies anciennes de l'extérieur de Brookline s'afficha. En noir et blanc, l'immeuble paraissait encore plus menaçant.

Dan réduisit les paramètres de recherche davantage en tapant «Brookline ET histoire ET asile». Enfin, il tomba sur un lien à l'air prometteur. À en juger par l'arrière-plan d'un pourpre criard et l'abondance d'images animées, il s'agissait d'un site Web «amateur» — pour le dire poliment. Ce fut le titre de la page qui attira son attention : «Brookline : guérir les aliénés ou les créer?»

«C'est plutôt sensationnaliste comme titre», songea Dan. Les choses dérapaient davantage à partir de ce point. La page était longue, et il s'en dégageait une grande paranoïa typique des théories du complot. Sal Weathers, enquêteur, bricoleur et — oh, mince! — chasseur de fantômes, avait compilé méticuleusement ce qui devait être un ensemble de toutes les mentions de Brookline dans les journaux locaux et nationaux en un seul long paragraphe : des statistiques sur le nombre de patients hébergés à l'asile à son apogée, des histoires sur les patients relocalisés ou libérés à sa fermeture en 1972... Plus d'une fois, Dan tomba sur une référence aux difficultés qu'avait eues Brookline à garder un directeur. La rotation de personnel semblait plus élevée que dans un restaurant McDonald's.

Enfin, environ aux trois quarts du long texte de Sal, Dan découvrit quelque chose, une ligne qui n'avait peut-être l'air de rien, mais qu'il relut plusieurs fois.

*Ce n'est qu'en 1960 que Brookline tomba sur l'homme
qui allait redéfinir et recentrer sa raison d'être.*

Quel était le nom de cet homme? Et quelle était cette nouvelle raison d'être? L'article ne le mentionnait pas.

— On appelle ça un déroulement narratif, Sal. Tu devrais en lire la définition, affirma Dan à voix haute à l'intention du concepteur de la page.

Puis, il se rappelle qu'il avait un compagnon de chambre. Heureusement, Félix semblait dormir profondément.

Dan continua de parcourir la page. La raison derrière le style d'écriture empreint d'un déficit d'attention de Sal devint soudain très évidente. Pourquoi fixer son attention sur des banalités comme le taux de rotation du poste de directeur quand il y avait le sujet de *meurtriers en série* à aborder?

Le patient le plus controversé de Brookline, et de loin, fut le meurtrier en série Dennis Heimline, mieux connu sous le surnom du Sculpteur. De 1960 à 1965, il a terrorisé une petite collectivité rurale du Vermont. La police estime qu'il a tué plus d'une dizaine de personnes, et on lui a décerné son surnom en raison de son habitude macabre de faire poser les corps de ses victimes comme des statues. Un rapport de police décrit la «beauté froide et terrible» du corps d'une jeune femme retrouvée «dansant» dans la région sauvage des Montagnes Blanches, ses bras mutilés attachés dans les hautes branches d'un arbre. Son crime le plus horrifiant s'est produit dans un bar local. Les victimes ont été placées à divers endroits dans le bar, certaines debout, d'autres assises et certaines engagées dans des festivités sur la piste de danse. Tous les cadavres étaient maintenus en place à l'aide de cordes et de câbles.

Ce qui est peut-être encore plus effroyable que le Sculpteur en soi est le fait qu'à la fermeture de Brookline, aucune trace du meurtrier n'a été trouvée…

Dan était fasciné. Un meurtrier en série figurait parmi les patients de *cet* immeuble. Où avait-il été hébergé? Quel genre de traitement avait-il reçu? Et où était-il *allé* après la fermeture?

Dan referma son ordinateur portable et se recoucha dans le lit. Au moment où il allait sombrer dans le sommeil, il se remémora la photo du patient qui se débattait et se demanda s'il pouvait s'agir de Dennis Heimline. Peut-être que ses parents avaient eu raison de s'inquiéter de sa venue dans ses lieux. Un passé mouvementé était une chose, mais un meurtrier en série? Et des photos de patients en traitement? Eh bien, il n'allait certainement pas partager ces découvertes avec Paul et Sandy!

CHAPITRE
N° 6

Ne le prends pas mal, Dan, mais tu as un air à chier. Tu as eu de la difficulté à dormir, ou quoi ?

On aurait dit que la voix d'Abby lui parvenait depuis le fond d'une piscine. Dan, qui comprit qu'il était sur le point de s'endormir, s'éveilla suffisamment pour relever la tête et enfoncer une cuillerée de céréales dans sa bouche. Il se demanda si le halo de lumière floue qui semblait si approprié autour de la tête d'Abby était le fruit des rayons de soleil matinal projetés par la lucarne ou de l'absence totale de sommeil.

Il choisit de ne pas parler à Abby de ce qu'il avait lu en ligne parce qu'il craignait que ça paraisse trop bizarre — *qu'il* paraisse trop bizarre. Ses amis apprenaient tout juste à la connaître, et il ne voulait pas tout bousiller au cours des 24 premières heures.

— Félix ronfle. Comme s'il avait avalé une grenouille. Ou un lion.

— C'est si terrible que ça ?

— Ouais, puis il s'est levé dès l'aurore pour aller s'entraîner, si tu peux me croire. Il va sans dire que je ne crois pas que je profiterai de beaucoup de sommeil cet été.

— Es-tu certain de ne pas simplement être épuisé en raison de notre périple d'hier soir ?

Abby ne tournait pas autour du pot, qualité que Dan appréciait.

— Je suppose que c'était plutôt intense, dit-il.

Abby avait certainement semblé très éprise de cette photo. Ils s'étaient presque disputés à ce sujet. Dan fronça les sourcils; il ne pouvait même pas se souvenir de la raison pour laquelle il avait tant insisté pour qu'elle laisse la photo là.

Une pointe de douleur lancinante dans sa tête fit plisser l'une de ses paupières.

— Merde. Je ne voulais pas me sentir comme ça pendant ma première journée complète ici.

Abby poussa une tasse de café vers lui sur la table.

— Essaie ce café. Il est assez fort pour servir de carburant à un avion à réaction.

Il fit tourner la tasse pour éviter la petite bavure de rouge à lèvres rose qu'elle avait laissée sur le rebord. Il prit une petite gorgée et goûta une saveur qui se trouvait entre l'essence à briquet et le sirop d'érable, et il se dépêcha de l'avaler avant que cette boue sucrée se fraie un chemin hors de sa bouche.

— Wow! Comment peux-tu *boire* ce truc?

— En fait, je déteste le goût du café, mais le sucre aide à l'éradiquer, admit-elle. Et impossible d'être une artiste sans boire de café. C'est… obligé. À chacune des expositions auxquelles j'ai assisté, on servait du café ou du vin. Donc, il ne me reste plus qu'à souffrir en silence.

Dan rit. Abby ne semblait pas se soucier d'être acceptée ou non, mais peut-être que tout le monde faisait des concessions ici et là. À peine un an auparavant, il avait cédé à la pression et s'était procuré un veston en velours côtelé brun clair pour assister à une conférence sur les dernières années de Jung au collège communautaire. Il s'était assis dans une mer de vestes sport brun clair et bleu marine en se demandant ce que son psychanalyste préféré aurait pensé de tant de gens essayant si désespérément de ne pas se démarquer.

— Hé, lança Dan.

Il se contraignit à sourire tout en se redressant sur sa chaise. Il venait de se remémorer une chose qu'Abby lui avait dite la veille.

— Si j'ai bien compris, tu as pris un bus pour venir ici ?

Dan avait pris l'avion depuis Pittsburgh, puis un taxi à partir de l'aéroport minuscule qui ne semblait compter qu'une piste.

— Deux bus, en fait. Mon vieux ne pouvait pas prendre congé au travail, mais ce n'est pas grave. Le bus, le train, le métro : ça devient une seconde nature quand tu habites à New York.

— Jordan vient de là aussi ?

— Non, Jordan arrivait de la Virginie. Nous avons été ensemble pour la dernière partie du voyage.

— C'est une très longue distance. Pourquoi n'a-t-il pas pris l'avion ?

— Oh, ses parents lui ont acheté des billets d'avion, fit Abby, mais sur un vol pour la Californie, et non le New Hampshire.

Dan arqua les sourcils.

— Apparemment, ils croient que Jordan se trouve actuellement dans l'un de ces camps où l'on chasse l'homosexualité à coups de prières. Son oncle paie les frais du programme scolaire ici, et Jordan a ramassé l'argent pour le billet d'autobus à l'aide de son emploi à temps partiel.

Abby vida sa tasse de café et termina son bol de gruau.

— Mais qu'arrivera-t-il si ses parents l'apprennent? Que fera-t-il?

Abby fronça les sourcils.

— Je n'en ai aucune idée. La Troisième Guerre mondiale?

Ce n'était pas étonnant que Jordan ait si peur de se faire jeter à la porte du collège.

Dan fut reconnaissant d'avoir des parents ouverts d'esprit et faciles à vivre, même s'ils pouvaient se montrer stricts parfois. Il avait toujours eu l'impression d'avoir été chanceux de tomber sur Paul et Sandy, même avant son adoption officielle.

— C'est bien qu'il puisse compter sur toi ici pour parler de tout ça, dit-il.

Abby était une compagne facile. Il n'était pas étonnant que Jordan se soit confié à elle.

— Nous nous comprenons. Il y a un lien entre nous.

Abby recueillit ses affaires. Le bourdonnement dans la cafétéria mourut à mesure que les étudiants sortaient dehors d'un pas tranquille pour se rendre aux inscriptions.

— C'était un long trajet de bus, et il n'y avait pas grand-chose d'autre à faire que de jouer au pendu et bavarder. Je suis certaine qu'il se serait confié à toi aussi.

— Peut-être, dit Dan, même s'il en doutait fortement. En tout cas, j'espère qu'il ne manquera pas les inscriptions, sans quoi il sera obligé de se confier à Félix en biotechnique avancée.

— Sois gentil, fit Abby, mais elle souriait.

Ils se joignirent à la file d'étudiants ramassant leurs sacs à dos dans les cases placées juste à l'extérieur de l'entrée de la cafétéria. Apparemment, il était interdit d'apporter son sac à l'intérieur parce que les collégiens avaient la mauvaise habitude de dérober assez de croissants et de coupes de fruits pour toute une semaine.

— Mais sérieusement, Félix m'a demandé d'échanger nos horaires pour organiser un système de copain ou un truc du genre, dit Dan. Quand j'ai finalement accepté de lui montrer les cours qui m'intéressaient, j'ai bien vu qu'il était embarrassé pour moi. Il n'y avait pas assez de sciences «dures», je suppose.

Abby rit.

— C'est ça, merci. Ris de ma misère.

Dan éternua quand ils sortirent dehors.

— À tes souhaits.

— Merci. Hé, je me demandais par contre si nous pourrions suivre un cours ensemble — peut-être. Toi, moi et Jordan, je veux dire. Je sais que tu es ici pour les arts, mais je pourrais peut-être te convaincre de suivre un cours d'histoire? demanda-t-il.

Les résidences s'étalaient de chaque côté d'eux et formaient un cercle presque parfait autour de la place publique herbeuse. Des chaises étaient éparpillées sous l'ombre du plus grand arbre de la place, et même si les bancs en bordure du sentier étaient vides à présent, Dan présumait qu'ils seraient remplis plus tard. Il avait entendu quelques jeunes dans la cafétéria planifier un tournoi de quilles sur l'herbe après les inscriptions.

— D'accord, pourquoi pas? D'ici là, je dois m'assurer d'avoir une place dans le cours de dessin d'après nature. Veux-tu que je t'inscrive?

— Moi? Oh, c'est vrai. Tu ne m'as jamais vu dessiner. Ma technique de dessin est pire que celle des bonshommes allumettes. Y a-t-il pire que ça? Peu importe le nom qu'on lui donne, *voilà* mon niveau d'aptitude.

Dan secoua la tête en s'imaginant l'expression sur le visage de l'enseignant qui examinerait ses gribouillis.

— Il y aura des filles nuuuuuues, affirma Abby en exagérant la dernière syllabe pour le taquiner.

— *Et* des gars nus, répliqua-t-il.

— Tu marques un point. Ooh! Peut-être que Jordan voudra suivre le cours avec moi.

Ils traversèrent la place publique, puis le sentier se divisa en deux, l'un menant au bâtiment administratif où ils allaient s'inscrire à leurs cours et l'autre, au centre sportif. Au loin devant, Dan aperçut Félix sortir du gymnase, pâle et bien droit, pour se rendre aux inscriptions par lui-même. Dan songea à le héler et crut réellement que c'était la bonne chose à faire. Mais s'il se montrait bien honnête, il était heureux de passer du temps seul avec Abby.

— Hé, les nuls! Attendez-moi!

«Voilà qui met fin à notre tête-à-tête.» Jordan accourut dans le sentier, une sacoche en cuir soignée en travers de son torse. Un porte-clés muni d'un dé à 20 faces était suspendu à la fermeture éclair de la sacoche. Jordan avait l'air d'un garçon qui venait tout juste de se lever du lit et qui avait enfilé les premiers vêtements à sa portée. Malgré tout, Dan avait l'impression que c'était lui qui avait l'air négligé.

— Où étais-tu? demanda Abby en passant un bras sous celui de Jordan. Tu as sauté le petit-déjeuner.

— Je me suis réveillé trop tard. Comment était la bouffe? Dégoûtante, probablement.

Jordan avait un pas rapide, et ils durent passer au trot pour le suivre.

— Ce n'était pas trop mal, en fait, répondit Dan, même s'il n'était pas certain de savoir si Jordan se souciait vraiment d'obtenir une réponse.

Il trouvait Jordan difficile à décoder. Une minute, il était de belle humeur, et l'instant d'après, il se montrait narquois. Puis, il y avait l'autre Jordan qui avait si peur de se faire jeter à la porte et de rentrer chez lui.

— Cependant, le café d'Abby représente le pire cauchemar des diabétiques.

— Dan est seulement grognon parce que son compagnon de chambre s'est moqué de ses choix de cours ce matin.

— Il s'est moqué de toi? Pourquoi diable? En quoi ça le regarde? demanda Jordan en riant. Tu as perdu à la loterie des compagnons de chambre, mon vieux Danny. Moi? J'ai gagné la loterie. Yi est un brave type. Il m'a joué un air de violoncelle ce matin.

Jordan envoya la main à un grand garçon échevelé qui installait son violoncelle sur la pelouse.

— Il réunit un orchestre de chambre pour jouer dehors, sur la pelouse. Pouvez-vous imaginer ça? Je veux dire... Pitié, est-ce possible d'accélérer le temps afin de fréquenter le collège pour vrai? Je veux entendre le violoncelle tous les matins. Je veux ceci, lança-t-il en balayant l'air devant lui. C'est 100 fois mieux que de vivre sous le règne des talibans. Je suis tellement prêt pour cette étape.

— Tu ne devrais pas souhaiter que ta vie passe plus vite, fit Abby d'un ton suffisant. Tu n'en as qu'une seule.

— Pas si tu es bouddhiste. Ou un fantôme. Mais tu as raison; qui veut devenir vieux? Pas moi. Je serai beau, bien entendu, et distingué, mais malgré tout... Des rides? Des maux de dos? Non, merci.

Il tordit le nez d'Abby.

— Au moins, toi, tu seras toujours superbe.

Dan ne pouvait dire le contraire.

— Dan, pour sa part, a déjà l'air d'âge moyen, enchaîna Jordan en ricanant de nouveau. De façon positive ! Ne me frappe pas — c'est positif ! Regarde-toi bien : tu es tranquille, fervent et tout le tralala. D'une sagesse qui fait mentir tes années, mon vieux, comme un bouddha mince et séduisant.

— Hum, merci ?

Dan baissa les yeux sur ses pieds et sentit la rougeur gagner ses joues. Il ne souhaitait pas particulièrement que quiconque — et surtout pas Abby — songe à un bouddha en le regardant.

— Est-il en train de rougir ? Je pense qu'il rougit, gloussa Jordan, qui accéléra sur le tiroir en tirant Abby avec lui, ce qui contraignit Dan à se dépêcher à emboîter le pas.

— Laisse-le tranquille, Jordan.

Abby se tourna vers Dan et lui adressa un sourire contrit.

— Ne t'inquiète pas. Tu n'as pas l'air d'âge moyen à mes yeux. Il essaie seulement de t'agacer.

— À en juger par son expression, on dirait bien que j'ai réussi, dit Jordan.

— Tu es drôlement joyeux, ce matin, fit Abby. Aucun cauchemar la nuit dernière ?

Jordan secoua sa tête à la chevelure bouclée.

— Moi ? Non, j'ai dormi comme un bébé innocent. Probablement parce que je suis loin de la maison.

Dan songea à sa propre nuit et au sommeil auquel il n'avait pas eu droit. Il semblait être le seul à avoir été affecté par le bureau. Il était aussi le seul à avoir creusé davantage l'histoire de l'asile. Il ne voulait pas qu'Abby et Jordan croient qu'il en faisait une obsession et fut soulagé de ne pas en avoir soufflé mot à Abby. Il était temps de changer de sujet avant qu'il dise quelque chose et le regrette plus tard.

— Dis, Jordan, Abby et moi parlions justement des cours que nous voulions suivre.

— OK...?

— Eh bien, nous songions à ceux que nous pourrions prendre ensemble. Es-tu intéressé?

— Pourquoi pas? fit Jordan.

Cependant, au même moment, il sortit son téléphone de sa poche et entreprit de taper un message à la vitesse de l'éclair à l'aide d'un seul pouce. Il se détourna légèrement pour leur cacher son écran. Dan n'y réfléchit pas à deux fois : l'identité de la personne à laquelle Jordan écrivait ne le regardait aucunement.

La discussion sur les cours se poursuivit jusqu'à leur arrivée aux inscriptions. Dan sentit sa mauvaise humeur disparaître un peu plus avec chaque pas. Abby et lui s'étaient entendus sur deux cours, mais tandis qu'Abby et Jordan assisteraient au cours de dessin d'après nature, Dan étudierait l'histoire de la psychiatrie. Il en savait probablement déjà beaucoup sur le sujet, mais il savait que les cours du CPNH étaient conçus pour demander un effort même aux jeunes les plus doués.

Des feuillets étaient affichés sur une colonne de bois sur le côté du bâtiment administratif : un concert de harpe, une démonstration de jeu de rôle grandeur nature et une partie amicale de pétanque. La brume matinale ne s'était pas encore dissipée, et les étudiants qui fourmillaient dehors avaient presque l'apparence de fantômes se déplaçant dans un rêve — un rêve agréable.

— Pouvez-vous imaginer faire ceci tous les jours ? demanda Dan.

— Choisir des cours ? Non, c'est épuisant, répondit Abby en rangeant son catalogue de cours dans son sac messager en patchwork.

— Non, je veux dire *ceci*. Se promener sur le campus par une belle journée, parmi d'autres jeunes qui veulent être ici, et se rendre à des cours qui vous intéressent vraiment.

— Amen, fit Jordan.

— Amen aussi, dit Abby en joignant les bras avec Jordan et Dan.

Dan fut satisfait de lui pour une fois. Il avait deux nouveaux amis et des cours qu'il avait hâte de suivre. Il n'en était qu'à la première journée, et son été s'annonçait déjà prometteur.

× × × × × ×

Après les inscriptions, les étudiants furent divisés en petits groupes plus faciles à gérer et canalisés vers des salles donnant sur l'étage principal de la Place Wilfurd. Le directeur du programme était présent pour aider à guider le flux de la circulation et envoyer la main et plaisanter avec les quelques enseignants qui s'attardaient dans le hall. À l'intérieur de leur salle attitrée, les trois amis furent accueillis par un rouquin leur distribuant de l'information sur les services disponibles, les numéros à composer en cas d'urgence et des cartes du campus. Le type sembla reconnaître Jordan, qu'il salua avec un « Quoi de neuf ? » avant de passer au prochain étudiant en ligne.

— N'avons-nous pas déjà entendu tout ça un millier de fois déjà ? ronchonna Jordan tandis qu'ils s'assoyaient.

Environ une dizaine de rangées de chaises avaient été alignées devant un écran déroulant. Ils prirent place au bout de la troisième rangée, leurs sacs à dos rangés sous leurs sièges.

— Je veux dire, je sais que j'ai déjà lu cette information quelque part. Dans les dépliants et sur le site Web…

— Certains des jeunes ici n'ont jamais quitté la maison, répondit Dan.

Abby était assise entre Jordan et lui, occupée à consulter un document vert fluo.

— Est-ce ton cas ? demanda Abby.

La question fut posée d'un ton amical qui cherchait à engager la conversation, mais Dan se figea, incertain de sa réponse. Il n'aimait pas parler des foyers d'accueil où il avait habité avant d'avoir la chance de tomber sur Paul et Sandy.

Il fut reconnaissant au professeur, qui fit signe à tout le monde de se taire. Ce dernier attendait, debout près du projecteur, que les étudiants cessent de bavarder.

— Voilà Joe, dit Jordan en désignant d'un coup de tête l'étudiant rouquin à la forte carrure. Il est surveillant de couloir à mon étage.

— Il est plutôt mignon, dit Abby.

— Un surveillant de couloir ? Oublie ça, Abs ; c'est le fruit défendu.

La fille aux cheveux foncés assise devant eux se retourna pour les darder du regard et réduire Abby et Jordan au silence. Quand elle tourna le dos, Jordan lui tira la langue pendant que le professeur commençait à parler.

— Je vous présente Joe McMullan, et je suis la professeure Reyes. Je sais que tous ces trucs d'orientation vous ennuient probablement, mais je vous promets que cette présentation sera rapide et sans douleur.

Son nom lui sembla familier. Dan fouilla silencieusement dans sa poche et sortit son horaire. Il parcourut la liste pour découvrir qu'elle était son enseignante en histoire de la psychiatrie. Il rangea son horaire et prêta de nouveau attention à l'avant de la classe. Joe dépassait la professeure d'au moins une tête, et elle paraissait facile d'approche avec ses joues rouges et l'écart entre ses dents. Elle était vêtue de noir, et son ensemble était accentué par un large collier de pierres turquoise.

— D'abord, quelques mots sur la sécurité dans la résidence…

Dan promena son regard dans la salle. Il aperçut Félix, qui se trouvait quelques sièges plus en avant. Il soupira en songeant au fait qu'il devait faire plus d'efforts pour inclure son compagnon de chambre dans ses activités. Peut-être que passer une heure ou deux en groupe aiderait Félix à sortir de sa coquille. Cependant, il appréciait réellement la dynamique entre Abby, Jordan et lui, et si Félix rendait l'ambiance bizarre, Dan serait blâmé pour avoir forcé les choses.

— Brookline a un passé riche et complexe, expliqua la professeure Reyes. Donc, si vous avez des questions, ne vous gênez pas! Il n'y a aucune raison d'avoir peur de l'histoire.

CHAPITRE
N° 7

Rien n'allait — rien du tout. Dan se trouvait au mauvais endroit. Une erreur avait dû se produire. Il ne méritait pas d'être là. Il n'était pas fou, loin de là. Alors, pourquoi était-il enchaîné au mur ? Il se débattit jusqu'à ce qu'il y ait du sang sur ses poignets, là où les entraves le retenaient.

— À l'aide ! hurla-t-il, mais son cri ne fut qu'un murmure.

La pièce changea. À présent, Dan était vêtu d'un peignoir et couché sur une table. Il y eut un déclic de la serrure, et un homme en uniforme blanc entra, poussant un plateau roulant devant lui. Le plateau était chargé d'un gros dôme argenté, et Dan pouvait entendre un cliquetis tinté sous celui-ci, provenant probablement d'ustensiles.

— Votre dîner, Monsieur, dit le serveur, qui souleva le dôme.

Sous celui-ci étaient posés des instruments chirurgicaux : un scalpel, une pince et une aiguille hypodermique.

Dan leva les yeux, et le visage du serveur s'était transformé. Il portait maintenant une blouse de médecin et un masque chirurgical. Et pour couronner le tout, ses yeux avaient été remplacés par des cavités noires, comme s'ils avaient été raturés.

Tandis qu'il tendait les mains vers les instruments, le médecin affirma d'une voix douce :

— Ne t'inquiète pas, Daniel Crawford, je suis là pour prendre soin de toi.

Dan s'éveilla dans un sursaut. De la sueur coulait sur son visage, et il avait agrippé le drap avec une telle force qu'il avait une crampe dans les doigts. Il continuait de marmonner :

— Non, non, ne me faites pas mal !

Le cœur battant, il s'assit dans son lit. Ses yeux s'ajustèrent lentement à l'obscurité. Il était dans sa chambre. Il n'y avait ni serveur ni médecin. Il n'y avait que Félix, planté comme un piquet près de son lit, d'où il l'observait.

— Ah ! lâcha Dan, qui retomba contre le matelas et remonta le drap jusqu'à son menton. Que… que fais-tu ?

— Tu parlais dans ton sommeil, Daniel, répondit Félix d'un ton calme avant de s'éloigner d'un petit pas du lit. Est-ce que tu te sens bien ? Le bruit était… Eh bien, ça m'a réveillé, comme tu peux le voir…

— Désolé, marmonna Dan. Ce n'était qu'un cauchemar. Je… Je vais bien, vraiment.

« Mais j'irais mieux si tu reculais fichtrement loin. »

— J'ai besoin d'air, ajouta-t-il en roulant hors du lit — les draps étaient trempés de sueur.

— Ça devrait t'aider, fit Félix avec un sourire triste. Une bouffée d'air frais m'éclaircit toujours les idées. J'espère que ça sera la même chose pour toi.

Dan ramassa son pull kangourou et sortit en hâte en se demandant s'il fuyait son compagnon de chambre, sa chambre en soi ou les deux. Il tenta de calmer sa respiration. « Ce n'était qu'un rêve — et rien de plus. » Il passa une jointure sur l'arête de son nez pour essuyer la sueur. Manifestement, les photographies l'avaient troublé davantage qu'il ne l'aurait cru. Pour une deuxième nuit d'affilée, le sommeil représentait une cause perdue. Le couloir était silencieux et faiblement éclairé. Il n'y avait personne en vue, mais Dan frissonna quand même. Pourquoi se sentait-il épié dans cet édifice ?

Il se sentit mieux à son arrivée au rez-de-chaussée. Mais quand il s'approcha de l'entrée, la porte principale était déjà entrouverte. Quelqu'un l'avait précédé dehors et était maintenant assis dans les marches.

— C'est un drôle de hasard de te rencontrer ici, dit-il.

Abby poussa un cri d'étonnement. Dan parvint à peine à esquiver la petite pierre qu'elle avait recueillie et lancée vers lui.

— Dan ! *Bon sang.* Tu as failli me faire mourir de peur.

Son cauchemar et son réveil soudain n'avaient probablement pas aidé sa cause en laissant sa voix rauque.

— Désolé, dit-il en s'assoyant près d'elle. Je n'avais pas l'intention de te faire sursauter.

Abby était assise, les genoux ramenés vers elle, son téléphone à la main, les bras enroulés serrés autour de ses chevilles. Des petits nuages joufflus et souriants décoraient le pantalon de son pyjama.

— Tu veilles tard, dit-elle d'une voix éreintée, elle aussi.

— J'étais incapable de dormir. Toi ?

Abby le regarda comme si elle soupesait sa réponse. Enfin, elle prit la parole.

— J'ai reçu un texto de ma sœur. Plus d'un, en fait.

Elle s'interrompit. Dan n'était peut-être pas un génie social, mais il comprit que le moment était mal choisi pour poser des questions. Donc, il attendit qu'Abby reprenne son récit.

— Mes parents ne s'entendent pas sur grand-chose. Papa compose des sonals publicitaires, et il déteste ça. Maman croit qu'il devrait se remettre à la vraie musique, à *sa* musique, mais ce n'est pas payant.

— Il n'y a pas de réponse facile.

— Ils ont des disputes constantes à ce sujet, et chaque fois, j'ai vraiment peur qu'ils… En tout cas, Jessy croit que c'est pour de bon, cette fois. Elle pense qu'ils vont réellement passer à l'acte, soupira Abby.

— Quoi? Divorcer?

«Ce n'est pas la sensibilité qui t'étouffe, Dan.»

— Ouais.

Elle soupira de nouveau, et cette fois, il détecta un sou- bresaut dans son souffle. Il ignorait si elle s'était mise à pleurer, et il espérait fichtrement que ce ne soit pas le cas parce qu'il ne savait pas comment gérer les larmes.

— Ça anéantirait ma sœur. Parfois, je pense que ça m'anéantirait aussi.

— C'est vraiment moche. Je suis désolé.

Il était en train de tout faire foirer, lamentablement. Ce n'était tout de même pas le moment propice pour agir avec séduction et charme ou un truc du genre, mais un peu plus de profondeur était de mise, non?

— J'aimerais qu'ils maintiennent le cap quelques années encore, jusqu'à ce que Jessy et moi soyons au collège.

Dan garda un silence qu'il espéra sympathique.

— Et toi? demanda-t-elle, la tête penchée.

— Moi? Que veux-tu savoir?

— Pourquoi étais-tu incapable de dormir?

— Oh.

Dan sentit cet instinct familier se manifester en lui et l'in- citer à se refermer. Et il ne voulait pas assombrir davantage l'atmosphère en racontant son rêve en détail. Malgré tout, Abby avait partagé quelque chose de privé avec lui, et ses yeux étaient si grands et tristes… Un échange équitable sem- blait nécessaire.

— J'ai fait un cauchemar.

— Dans lequel tu tombais ou te noyais ?

— En quelque sorte.

« Non, pas vraiment », se dit-il alors. Mais Dan décida qu'il ne pouvait pas lui raconter son rêve, après tout... pas ce rêve ni les rêves qu'il faisait d'habitude. Elle le trouverait trop étrange, et son opinion lui importait beaucoup. Donc, il se contenta de répondre :

— C'était seulement le genre de rêve dans lequel tu te sens si... si...

— Impuissant ?

— Ouais.

— Je connais cette sensation. C'est ce que je ressens par rapport à mes parents. Je ne peux rien y faire, ce qui est franchement *nul*.

Elle prit une inspiration et ajouta :

— Tu sais, aussi étrange que ça puisse paraître, je me sens un peu mieux maintenant. Je n'ai pas l'habitude de parler de ce genre de trucs.

— Pas même à Jordan ? Je croyais que vous étiez proches.

— Non. Enfin, oui. Eh bien, en fait, c'est plus moi qui suis *sa* confidente. Sa situation est un tel gâchis... Je ne veux pas trop l'importuner avec mes problèmes. Ça semble injuste de rajouter quoi que ce soit à son fardeau.

Ils restèrent assis dans un silence complice. L'herbe était haute à la racine des arbres, et des vrilles pâles de brouillard se tissaient parmi les touffes de mauvaises herbes avant de se déployer sur la pelouse. L'obscurité était chassée lentement par l'aube naissante.

— Tu as une bonne écoute, Dan. Il se dégage de toi toute cette impression de sagesse.

— Merci, sourit Dan. Attends, tu ne ramènes pas ce truc de bouddha sur le tapis, n'est-ce pas? Parce que sérieusement, ça ne ressemblait pas à un compliment.

Abby rit, et l'espace d'une seconde, Dan eut vraiment l'impression de l'avoir aidée.

— Jordan aurait pu mieux l'articuler, mais je pense qu'il a mis le doigt sur quelque chose.

Toujours en souriant, elle se rapprocha de lui sur la marche. Les plumes avaient disparu de la masse sombre de ses boucles, qui retombaient inégalement sur une de ses épaules. Pendant un instant, il crut qu'elle allait l'embrasser, et il sut alors qu'il allait lui demander un rencard.

— Bon, fit-elle, tu veux connaître mon truc pour m'endormir?

— Je t'écoute.

— Alors, je me ferme les yeux, d'accord? C'est l'évidence, je sais, mais je ferme mes yeux, puis je me détends et je prétends que je suis un arbre…

Dan ricana, puis il rabattit ses épaules quand elle lui donna un coup.

— Un *arbre*?

— Boucle-la! Ça fonctionne!

— Hum, bien sûr que *oui*…

— Très bien, gros malin. Je ne te dirai pas mon secret, alors.

Abby croisa les bras et poussa un «Hum!» indigné.

— Non, je t'en prie, continue. Allez, je veux en savoir plus sur… sur… faire semblant d'être un arbre.

Son rire se mêla à ses paroles malgré ses efforts pour le réprimer.

— Je ne te le dirai pas, maintenant.

— Abby, je t'en prie…

— Bah. OK, mais seulement parce que je t'aime bien.

Une partie de sa prochaine phrase échappa complètement à Dan parce qu'elle avait dit qu'elle l'aimait bien.

— … tu imagines tes racines individuelles. Visualise-les alors qu'elles s'enfoncent dans le sol, toujours plus creux. Concentre-toi sur chacune d'elles, une après l'autre, alors qu'elles s'enfoncent plus profondément dans la fraîcheur et qu'elles sont en sécurité et enveloppées…

Le simple fait d'écouter sa description était relaxant. Puis, elle tendit les mains vers lui et appuya doucement les pouces contre ses tempes.

— Chaque racine se déplace dans le sol, remue la terre, prend de la force…

Dan s'étira et savoura la sensation que lui procurait le fait de croire que le sommeil était possible.

— Ha. Tu vois ? Je t'avais bien dit que ça fonctionnait.

— Pas mal, vieille branche.

— Nous devrions probablement rentrer, dit-elle avant de se lever lentement en s'étirant. Et ne m'appelle pas «vieille branche».

— Tu préfères «vieux gland»?

— Très. Drôle.

— Si tu le dis, vieille branche, fit-il en couvrant un bâillement.

— Je suis sérieuse, dit-elle en le dardant d'un regard noir. Si tu m'appelles «vieille branche», je vais t'appeler «bouddha».

— D'accord, très bien. Je décrète une trêve.

Dan la suivit à l'intérieur et referma la porte derrière eux. Elle se verrouilla automatiquement. Ils montèrent à l'étage d'Abby.

— Eh bien, bonne nuit, fit Dan en se balançant sur ses talons.

— Bonne nuit. Et souviens-toi, répondit Abby, qui ferma les yeux et prit la pose. Deviens l'arbre.

— Je vais essayer, dit Dan, les yeux rivés au dos d'Abby qui regagnait sa chambre.

Une fois de retour dans sa propre chambre, Dan tenta réellement le coup. Mais quand il ferma les yeux, l'arbre se transforma en une vigne, puis la vigne devint une chaîne, et le même cauchemar refit surface.

CHAPITRE
N° 8

L e lendemain matin, Dan dit à peine deux mots à ses amis. Ils n'assistaient au même cours que plus tard en après-midi, et sa nuit agitée l'avait amené à appuyer maintes fois sur le bouton d'arrêt momentané du réveil. Son petit-déjeuner se résuma à un bol de céréales Cheerios englouti trop vite, accompagné d'un jus d'orange, et il observa Abby poser des cuillères froides sur ses paupières. Elle insista pour dire que l'exercice l'aiderait à s'éveiller et à chasser les bouffissures du sommeil.

Ne disposant pas du temps nécessaire pour faire éclater ce mythe, Dan fila en tenant sa liste de cours vers sa première leçon en songeant que l'histoire de la psychiatrie serait un bon point de départ. À son arrivée en classe, il remarqua la présence de Yi, le compagnon de chambre de Jordan, et fut heureux de voir un visage amical au milieu d'une pièce pleine d'étrangers. Il ignora la voix familière qui lui dit qu'il serait plus facile de s'asseoir seul et se dirigea vers Yi afin de se présenter.

— Comment ça va ? demanda-t-il à Yi tandis qu'il s'assoyait.

— Bah, répondit Yi avec un haussement d'épaules. Jordan n'arrête pas d'envoyer des textos pendant que nous sommes supposés de dormir. J'ai pu entendre le cliquetis de ses doigts jusqu'à 4 h ce matin.

— Il adore son téléphone ; ça, c'est sûr.

— Mais à part ça, je suis content d'avoir l'occasion de faire autre chose que de jouer de ce foutu violoncelle. J'aime la musique et tout, mais je suis ouvert à une autre vocation. Peut-être que je vais la trouver dans ce cours. À tout le moins, je vais apprendre quelque chose de neuf, n'est-ce pas? En plus, nous entendrons peut-être des trucs chouettes sur l'asile de fous qui nous sert de résidence.

La professeure Reyes arriva à l'heure et entreprit de distribuer le syllabus. Elle était encore une fois vêtue de noir, mais son ensemble était assorti d'un collier en quartz ce jour-là. Son apparence évoquait subtilement chez Dan celle des diseuses de bonne aventure des infopublicités de fin de soirée.

La professeure Reyes lui plut sur-le-champ, surtout lorsqu'elle répondit d'une voix douce à un étudiant qui avait levé la main :

— Non, nous ne discuterons pas de l'Hospice de Brookline, mais merci de poser la question. Si vous désirez étudier le sujet par vous-même pour obtenir des crédits supplémentaires, sentez-vous bien libre de le faire.

La main levée se baissa tout de suite.

Les deux heures du cours passèrent à la vitesse de l'éclair, et les quelques fois où l'esprit de Dan erra, il se demanda ce qu'Abby et Jordan faisaient dans leur cours de dessin. D'une certaine manière, il espérait qu'Abby garderait leur conversation de la nuit passée pour elle. Ce n'est pas qu'il se souciait que Jordan soit au courant de ses cauchemars ou des problèmes parentaux d'Abby; il aimait simplement l'idée que cette conversation demeure entre eux, un moment partagé à deux.

Il n'y avait aucune cloche au son strident ou perçant pour annoncer la fin du cours. À la place, les cloches de la chapelle du collège sonnèrent une fois, un quart d'heure avant l'heure, ce qui signala à l'enseignante de conclure son cours. C'était là un changement rafraîchissant. Dan rangea ses affaires immédiatement. L'achat des manuels de cours n'était pas obligatoire ; une grande partie du matériel était distribuée sous forme de trousses imprimées, de diapositives de présentation et de documentaires. Dan talonna Yi pour passer rapidement la porte, puis il se souvint du fait qu'il n'était pas au lycée et n'aurait pas d'ennuis s'il arrivait en retard pour le déjeuner.

Tous les étudiants avaient reçu une carte du campus, mais la consulter donnait à Dan l'impression de jouer au touriste. Dehors, le temps était passé du matin empreint de rosée à la grande chaleur d'un après-midi d'été.

La professeure Reyes prenait déjà une pause cigarette dans la cour. En se rappelant qu'elle avait mentionné la possibilité d'un projet pour obtenir des crédits supplémentaires, Dan alla à sa rencontre.

La professeure lui sourit, termina sa cigarette et la jeta dans un seau en métal réservé aux mégots.

— Darren, n'est-ce pas ? demanda-t-elle.

— Dan, la corrigea-t-il avant d'enfoncer les mains dans ses poches. Daniel Crawford ?

Elle le fixa un bon moment avant de reprendre la parole.

— Ah. C'est noté. Je n'oublierai pas.

— J'étais curieux au sujet de ce projet pour obtenir des crédits supplémentaires.

— Oh, Dan, je plaisantais. Tu sais que nous ne donnons pas de notes ici, n'est-ce pas ? dit la professeure avec un doux rire. Alors, dis-moi quelque chose. Tu cherches à obtenir une recommandation, ou tu ne fais que me lécher les bottes ?

— Eh bien, je…

Embarrassé qu'elle se soit déjà fait une mauvaise opinion de lui, Dan ne sut pas trop quoi lui répondre.

— C'est seulement qu'il s'agit du sujet qui m'intéresse le plus… La psychiatrie et l'histoire, je veux dire. Alors, l'idée de faire un projet supplémentaire me semblait chouette. Je songeais à peut-être mener des entrevues au village pour recueillir des perspectives locales.

— Bonne chance.

La professeure Reyes rajusta la sangle de sa mallette sur son épaule.

— Pardon?

— Les villageois ici sont, comment dire… superstitieux? Et c'est là un euphémisme… Ils déposent des pétitions pour raser Brookline depuis des années, mais ils ne peuvent pas le faire. D'abord, parce qu'il s'agit d'un site historique qui mérite de demeurer en place. Ensuite, parce qu'il n'existe aucune raison de démolir l'édifice. Les fondations sont plus ou moins en état, d'accord, mais le collège investira pour les rénover très bientôt.

Elle fouilla dans sa mallette jusqu'à ce qu'elle trouve son paquet de cigarettes. Elle en alluma une, puis gesticula avec celle-ci.

— Tout ça pour dire que tu risques de te buter à une certaine résistance. Ils te parleront de Brookline, c'est certain — ils t'en parleront jusqu'à ce que tes oreilles rougissent —, mais seulement pour te dire à quel point ils veulent que l'endroit disparaisse.

— C'est dommage, dit Dan, qui le pensait réellement. Je croyais que ça ferait un bon papier.

— C'est vrai, et tu devrais t'essayer, fit la professeure, qui se pencha plus près avec un sourire de conspiratrice. En fait, j'ai obtenu la permission de présenter un séminaire pour les élèves de terminale dans les parties anciennes et condamnées de la résidence. Nous allons archiver certains des objets là-bas pour finalement les retirer des mains de l'école. Y a-t-il des chances pour que tu reviennes l'an prochain?

— J'aimerais bien, dit Dan. Mais je commence la terminale à l'automne.

En vérité, Dan n'avait pas réellement songé à fréquenter le Collège du New Hampshire. Mais si ses cours d'été lui plaisaient, pourquoi pas?

— Hé, si mes entrevues se passent bien, vous pourrez peut-être utiliser mon papier pour votre séminaire, non?

— Bien sûr, dit-elle. Nous verrons bien.

Dan repartit en lui envoyant un petit salut de la main. Il n'aurait pu dire si l'idée de creuser davantage dans l'histoire de Brookline l'excitait ou l'effrayait, mais en faire un projet de cours (même un projet non officiel pour obtenir de faux crédits supplémentaires) lui accordait une certaine validité. À présent, il pourrait parler de ses découvertes à Jordan et Abby sans passer pour un désaxé.

Et en parlant de Jordan et d'Abby, ils devaient probablement l'attendre pour le déjeuner à l'heure même. Dan se rappela le moment, la nuit dernière, où il avait cru qu'Abby allait l'embrasser. S'en souvenait-elle de la même façon? Et continuait-elle de penser à lui, elle aussi?

× × × × × ×

Il fallut à Dan quatre jours pour réunir le courage nécessaire pour demander un rencard à Abby.

À vrai dire, ce furent quatre journées extraordinaires durant lesquelles Abby, Jordan et lui devinrent pratiquement inséparables. Ils mangeaient ensemble, s'assoyaient l'un à côté de l'autre en classe et passaient leurs soirées en groupe. Bien entendu, ceci vint exacerber l'angoisse de Dan à l'idée d'inviter Abby. Son esprit tournait en rond autour de la question. *Devait-il* l'inviter à sortir? Et si elle disait non? Pourraient-ils rester amis? Qu'en penserait Jordan? Quelle serait la conséquence sur leur amitié à tous les trois? Et si elle disait oui? Et si...?

Il se montra si pensif que même Félix remarqua qu'il se passait quelque chose. Un jour, après le déjeuner, Dan entra dans la chambre, se laissa tomber sur son lit et poussa un soupir sonore.

— Tu sembles distrait, Daniel, lui dit Félix. Tu veux en parler?

Dan se demanda s'il serait sage de demander des conseils romantiques à Félix — mais ce dernier semblait se détendre à mesure qu'il s'habituait au programme. Il continuait d'étudier seul dans sa chambre constamment, parlait comme un professeur de sciences et avait besoin d'une quantité de sommeil ridiculement minime. Toutefois, ses mangas avaient disparu, et il semblait se plaire dans ses occupations.

— Eh bien, dit Dan, je songe à inviter Abby à sortir. Quelles sont mes chances, tu crois?

— Ah, oui. Je vois pourquoi tu es nerveux...

— Vraiment?

Dan patienta, même s'il n'était pas certain de vouloir que Félix entre dans les détails.

— Ton visage est symétrique, même si tu souffres d'oreilles légèrement saillantes. Tu n'es pas tout à fait grand, et ton manque de définition musculaire, eh bien... Abby, quant à elle...

— Ouais, l'interrompit Dan. Elle est fichtrement mignonne.

Félix marqua une pause et haussa les épaules brièvement.

— Je dirais, pour utiliser l'expression populaire, qu'elle est trop bien pour toi.

— C'est ce que je croyais, merci, marmonna Dan.

Il n'aurait pas dû être froissé, considérant la source de ce jugement, mais c'était blessant quand même.

— Mais seulement dans une très faible mesure, sourit Félix depuis la chaise de son bureau. Ça répond à ta question ?

— Oui, dit-il. Tu m'as été d'une grande aide. Merci.

Dan réunit ses cahiers de notes pour l'après-midi et passa la porte.

Les mots « trop bien pour toi » tourmentèrent Dan d'un bout à l'autre du campus. D'une certaine manière, Félix avait raison. Dan n'avait jamais rencontré quelqu'un comme Abby, une personne qui illuminait un peu son monde quand elle s'y trouvait.

La première sonnerie des cloches de la chapelle se fit entendre et annonça qu'il était 13 h 45, soit l'heure du début de son prochain cours. « Je suis en retard. » Comment était-ce arrivé ? Il était à peine 13 h à sa sortie de la résidence. Dan parcourut la distance restante à la course du mieux qu'il le put. Quand il parvint à l'entrée du bâtiment des sciences sociales, il était en sueur et avait le souffle court. Au dernier carillon, il trébucha dans le corridor. Jordan et Abby l'attendaient à côté de la porte du cours.

— Te voilà ! lui lança Abby. Nous pensions que tu ne venais pas.

— Je suis seulement en retard. Un truc avec mon compagnon de chambre.

— Allons, nous savons tous que tu cherchais à faire une entrée dramatique, le taquina Jordan, qui lui donna un léger coup de coude.

Dan suivit ses amis et se traîna vers un siège sous le regard sévère de leur professeur, un grand homme d'âge moyen arborant une barbiche courte et une chevelure poivre et sel.

— Eh bien, si ce n'est pas là l'hydre, dit le professeur Douglas, qui tira ses lunettes à mi-chemin sur l'arête de son nez. N'en faites pas une habitude, vous trois.

«L'hydre. C'est malin», songea Dan avec un sourire.

— Désolée! lança Abby, qui sortit son cartable à toute vitesse. Ça n'arrivera plus.

Le professeur Douglas opina de la tête et se retourna vers le tableau blanc.

Après le cours, ils marchèrent ensemble vers la place publique. Un jeune homme élancé aux joues creuses accourut vers eux dans le sentier et se planta dans la voie d'Abby, la main posée sur son bras comme s'il la connaissait.

— Salut, Abby! Salut, Jordan, dit-il dans un sourire qui dévoila une dentition éclatante comme des mégawatts qui aurait reçu l'approbation de n'importe quel dentiste. Ça vous dit d'aller prendre un café ou un truc du genre?

Bien entendu, il avait un charmant accent du Sud en plus. Après tout, pourquoi n'en aurait-il pas eu?

— Je suis Dan.

Dan brandit la main pour obliger le type à relâcher le bras d'Abby.

— Moi, c'est Ash, répondit le garçon en empoignant la main de Dan comme dans un étau. Heureux de faire ta connaissance. Donc...?

Ash désigna la Place Wilfurd d'un coup de tête.

— Ouais, ça me dit, pépia Abby. Les gars?

— L'idée me plaît, dit Jordan.

Dan haussa les épaules et tenta un sourire annonçant qu'il était partant, mais que ce n'était pas son premier choix. En silence, les mains dans les poches, il recula de quelques pas. Jordan se joignit à lui et le cribla d'un regard précis comme un laser qui rendit Dan très mal à l'aise. Il n'allait pas prononcer un seul mot. Si Abby voulait passer du temps avec Ash, ça ne le regardait pas.

Cependant, Jordan ne céda pas d'une semelle.

— Il fréquente le même lycée qu'Abby, chuchota-t-il d'un ton conspirateur en faisant tournoyer un crayon entre ses doigts. Elle nous a présentés dans le cours de dessin. J'ai cru comprendre qu'ils dirigent ensemble le club d'art de leur école.

— Oh, répondit Dan. Il semble assez sympa, je suppose...

— Mais?

— Mais rien.

D'un coup de pied, Dan chassa une brindille qui vola en spirale vers la pelouse.

— D'accord, il est sympa. Mais peut-être que c'est tout ce qu'il a pour lui. De toute façon, qui se soucie d'être *sympa*? La plupart des gens sont sympas.

Dan songea à son lycée. Les jeunes «sympas» y foisonnaient, et aucun d'entre eux n'avait retenu son intérêt. Ce n'est pas qu'il s'en souciait beaucoup. Il était premier de classe, et dans un an, il serait en route vers le collège, très loin de tous ces jeunes.

Jordan arqua un sourcil.

— Tu ne crois pas que tu te montres un peu dur envers le pauvre garçon? Tu le connais depuis à peine 10 secondes, Dan. Il est l'une de ces personnes, tu sais? Celles qui s'entendent avec tout le monde et que tout le monde aime avoir dans les parages.

Dan donna un coup de pied au sol.

— Je ne comprends pas ça. Comment quelqu'un y parvient-il — à s'entendre avec tout le monde, je veux dire?

— Commence par essayer d'être un peu moins jaloux, dit Jordan.

Le commentaire était dit d'un ton badin, mais Dan le prit au sérieux. Sa jalousie était-elle si évidente? Peut-être devait-il laisser de côté son propre ego et accepter le fait que Jordan et Abby se feraient évidemment d'autres amis. En ce qui le concernait, cependant, il n'avait besoin de personne d'autre.

Dan grappilla un muffin tandis qu'Abby et Jordan bavardaient avec Ash. Personne ne semblait être ennuyé par son mutisme. Il s'efforça de ne pas prendre un air morfondu, sans trop être certain d'y réussir.

Par la suite, Ash quitta le groupe pour aller prendre part à une partie de disque volant, et Jordan mentionna une réunion pour un projet de groupe. Soudain, Dan et Abby se retrouvèrent parfaitement seuls.

Abby le regarda avec un sourire.

— Déride-toi, dit-elle. Tu parais si sérieux.

Madeleine Roux

— Je… commença-t-il.

Mais alors, quelque chose s'empara de lui, et il sut qu'il devait le dire immédiatement, sans quoi il ne le ferait jamais.

— Aimerais-tu sortir ce soir? Seulement nous deux, je veux dire.

— Oui, dit-elle avec un sourire, ce qui amena Dan à célébrer intérieurement la différence vaste entre «oui» et «m'ouais».

«Dis-lui que c'est un rencard, que tu veux que ce soit un rencard», se dit-il alors.

— Ce n'est pas nécessairement un rencard ou un truc du genre, ajouta-t-il, l'air penaud.

— Oh, répondit Abby en baissant le regard. Non, d'accord, bien entendu…

— Ou ça pourrait aussi être un rencard…

— OK… dit-elle en riant. Qu'avais-tu en tête?

— Hum?

— Qu'aimerais-tu faire? Aller dîner, ou alors…?

— Oh, un dîner, ouais. J'ai entendu, euh, j'ai entendu parler d'un endroit sympa en ville. Yi me l'a mentionné. Brewster's? Ils servent des sandwiches et ce genre de trucs.

En fin de compte, ce n'était pas si difficile.

— Brewster's, c'est parfait, fit-elle d'un ton jovial. 19 h, ça te va?

— C'est parfait.

— Génial! 19 h pile. Rendez-vous au rez-de-chaussée à 19 h.

Abby secoua la tête et rit.

— Bon sang, est-ce que je peux dire «19 h» quelques fois de plus?

71

— Probablement.

Ensuite, Abby mentionna l'idée vague de se rendre au centre sportif, et Dan lui indiqua qu'il devait consacrer un peu de temps à l'étude, alors ils se séparèrent sur la place publique en se souriant et en agitant la main comme des idiots. Il l'observa s'éloigner sur le sentier jusqu'à ce qu'elle se perde dans la foule d'étudiants qui traînaient dehors.

Puis, il rentra lentement à la résidence. Ses tennis écrasèrent des pommes de pin tandis qu'il zigzaguait entre les sentiers et l'une des pelouses à proximité. Il aperçut un groupe réuni autour d'un grill. Deux surveillants de couloirs semblaient l'avoir mis en marche tôt en prévision du dîner. Alors qu'il pouvait entendre le crépitement du feu, il huma la fumée qui flottait dans l'air avant d'être portée plus loin par une douce brise. À cet instant précis, Dan se sentait très bien.

CHAPITRE
N° 9

Avoir un rencard ce soir-là ne fit que soulever d'autres problèmes pour Dan. Devait-il se raser? Est-ce que ça lui donnerait un air formel qui en dirait trop? Devait-il s'en tenir à une allure décontractée pour ne pas avoir l'air de présumer quoi que ce soit? Toutefois, il espérait réellement qu'il s'agissait d'un rencard. Il songea aux yeux d'Abby, grands et dévorants, comme s'ils renfermaient tout un monde qu'il n'avait personnellement qu'entrevu.

— Idiot, dit-il.

Perdu dans ses pensées de la sorte, il avait probablement réussi à prendre du retard. Il enfila une chemise bleu pâle qui lui donnait un air détendu, mais non négligé. Il la glissa à l'intérieur de son pantalon, puis la ressortit. Il fit même l'essai de la mode de la chemise rentrée mollement à moitié que seuls les mannequins des catalogues semblaient maîtriser. Il opta pour un jean plutôt que pour un pantalon habillé et élimina la cravate, beaucoup trop formelle.

Il jeta un coup d'œil à son horloge.

Le temps semblait suivre un rythme étrange ici. Ce qui lui avait paru comme des heures de délibérations devant sa penderie avait nécessité tout au plus 20 minutes. Il lui fallait maintenant tuer du temps. Dan s'assit à son bureau et ouvrit son portable pour consulter ses courriels. Il y avait un long message de ses parents, qui, en gros, espéraient qu'il passait du bon temps avec ses nouveaux amis. Il y avait quelques pourriels. Jordan lui avait envoyé une vidéo mettant en vedette un chat qui se précipitait à fond de train vers une boîte à chaussures minuscule, ainsi qu'un lien vers la page d'un nouveau groupe musical qui devrait intéresser Dan. L'espace d'un instant, Dan se demanda ce que Jordan penserait de son dîner avec Abby. Abby lui en avait-elle parlé? Dan redoutait les blagues inévitables qui fuseraient une fois que Jordan serait au courant.

Un message non lu attira son attention vers son dossier de messages envoyés. Voilà qui était… bizarre. Comment était-il possible d'avoir un message *non lu* dans son dossier des messages envoyés? Le simple fait de rédiger et d'envoyer le message ne signifiait-il pas qu'il l'avait lu?

Dan cliqua sur le dossier et saisit au vol l'objet d'un message qui indiquait : «RE : Votre demande au sujet du patient 361», mais alors, sa boîte de réception se réduisit, et un message d'erreur s'afficha au milieu de l'écran. Le curseur se transforma en cette triste icône de rouet.

— Quoi? Hé!

Dan donna une tape sur le côté de son portable.

— Oui! s'écria-t-il. Oui, je veux redémarrer le navigateur, espèce de con… Et merci *beaucoup* d'avoir choisi cet instant précis pour tomber en panne!

Enfin, la page du navigateur se ferma et se rouvrit une seconde plus tard, mais il n'y avait aucune trace d'un mystérieux message non lu dans son dossier de message envoyés.

Dan sentit son pouls s'enflammer. «Je suis assis dans un ancien hôpital psychiatrique où j'hallucine des courriels au sujet de patients. Ouais. Il n'y a rien là. Prêt pour ton rencard, mon vieux?»

— Il faut que je sorte d'ici, annonça-t-il à sa chambre.

Dan retroussa ses manches et ramassa ses clés et son portefeuille. Il éteignit toutes les lampes sauf celle de son bureau. Jamais plus il ne voulait rentrer dans une chambre plongée dans le noir! Il craignait d'y trouver… eh bien, le même tour de passe-passe que lui avait joué son imagination sa première nuit ici. Il passa la porte et la verrouilla derrière lui.

Dan se hâta dans le couloir et tourna le coin, puis il descendit les marches à grandes enjambées. L'étrange sensation d'être observé était toujours plus présente dans les couloirs. Il attribuait l'impression aux petites fenêtres qui ne laissaient filtrer que des jets anémiques de lumière. Cependant, il ne pouvait franchir cinq pas dans les couloirs sans sentir son dos se hérisser. Peut-être était-ce parce qu'il savait que ces photographies se trouvaient en bas, laissées là, dans ce bureau de l'horreur. Il semblait toujours les oublier une fois qu'il était à l'extérieur des murs de Brookline, mais quand il était dans son enceinte, elles se glissaient de nouveau dans son esprit.

Il atteignit le hall d'entrée; Abby était là, vêtue d'un haut à l'encolure dégagée et aux bretelles très fines et d'une jupe. Quelle différence par rapport à ses chemisiers mous et ses gilets de grand-maman habituels! Merde, il agissait comme un garçon typique, et elle allait s'en rendre compte et annuler toute l'affaire…

— Ça va? demanda-t-elle quand ils s'engagèrent dans le sentier vers Camford, le petit village à un peu plus d'un kilomètre du campus.

Il faisait encore relativement clair dehors; l'été prolongeait la chaleur parfumée du crépuscule.

— Tu as le teint un peu pâle, ajouta-t-elle.

«Pâle? Zut.» Était-ce en raison du message fantôme de son dossier de messages envoyés ou du haut qu'elle portait? Difficile à dire... Il savait par contre qu'elle était très jolie, et que c'était le genre de trucs qu'un garçon devait dire à une fille, selon les enseignements de Paul.

— Non, je vais bien, dit-il. Tu as un air soigné.

Abby lui jeta un regard à la dérobée, un sourire incertain sur son visage. Quelque part, le père de Dan devait avoir une attaque.

— Je veux dire que... euh... tu parais bien. Sensationnelle. Tu as un air sensationnel.

Ce stupide message fantôme l'avait perturbé davantage qu'il ne l'aurait cru.

Il tripota un bouton sur sa manche. Une mince couche de brouillard s'agrippait au sol. Dan avait entendu la professeure Reyes désigner ce brouillard qui se manifestait au cré-puscule sous le nom de «soupe de Brookline». Apparemment, il devenait pratiquement opaque au cours des mois de l'automne.

La marche jusqu'à Brewster's se fit sans incident. Elle ne fut pas ennuyante, mais... simple. Il aimait cette facette d'Abby : elle n'avait rien de trop dramatique ni de vraiment mystérieux. Les jeux, le mensonge, les règles, rien de tout cela ne semblait s'appliquer à elle. Elle disait ce qui lui traver-sait l'esprit — pour l'heure, c'était une obsession pour des chats qui brillaient dans le noir conçus au Japon (elle en vou-lait un parce qu'ils étaient mignons, mais aussi pour assouvir son côté intello) —, puis passait à la prochaine idée qui surgis-sait dans sa tête.

— Je radote, dit-elle.

— Non, répondit-il. Tu rends ça intéressant.

Il espéra de ne pas avoir l'air trop pitoyable, mais elle se contenta de lui sourire, et son cœur s'allégea.

Tandis qu'ils patientaient au comptoir du restaurant pour passer leur commande, Dan inspira le mélange enivrant d'odeurs : des grains de café, du pesto et la douceur fleurie émanant d'Abby. Elle devait avoir mis une sorte de parfum. Tandis qu'elle faisait son choix, elle ondulait vers le comptoir en faisant passer son poids de ses talons au bout de ses orteils. Un mec âgé peut-être d'un an ou deux de plus que Dan prit leur commande, qu'il griffonna sans regarder son papier une seule fois parce que ses yeux étaient rivés sur Abby. Si Dan se dit alors que s'il se faisait servir le bon sandwich, il en serait renversé.

Ils optèrent pour un box en coin et s'y installèrent avec leurs boissons.

Abby sirota son cola diète, le regard tourné vers la rue. Les lampadaires venaient tout juste de s'allumer et faisaient luire les trottoirs humides. De façon intéressante, le village en soi semblait être immunisé contre le brouillard dont souffrait le campus.

«Dis quelque chose, Crawford. N'importe quoi.»

— T'y connais-tu en informatique? lâcha Dan.

Il n'avait pas eu l'intention de lui parler du courriel, mais peut-être qu'il avait besoin que quelqu'un lui confirme que sa réaction n'était pas exagérée, que c'était normal de paniquer un peu à cause de ce qui était arrivé.

— Un peu, dit Abby quand leurs sandwiches arrivèrent, accompagnés d'un double espresso pour Abby (offert par la maison) que le serveur avait préparé par erreur (mon œil) en se mélangeant dans les commandes (pour Abby).

Sans surprise, il n'y avait pas la moindre trace de la moutarde commandée à part par Dan.

— Que veux-tu savoir?

— Je vais avoir l'air d'un idiot, dit-il.

— Je te promets de ne pas rire de toi, répondit Abby. Du moins, pas trop.

— Comme c'est gentil de ta part!

Dan ébouriffa les cheveux à l'arrière de sa tête, un geste qu'il posait toujours quand il choisissait ses mots avec soin.

— Est-ce possible que… les courriels de quelqu'un d'autre apparaissent par hasard dans ton compte?

De l'autre côté de la table, Abby cligna des yeux.

— Hum… n'est-ce pas là… le but de la messagerie électronique?

— Oh! Non. Merde, tu vois? Voilà pourquoi je n'aurais pas dû aborder le sujet, fit Dan en secouant la tête. En fait, je me demande s'il est possible que des signaux se croisent ou un truc du genre, qu'un message envoyé par quelqu'un d'autre prenne l'apparence d'un message que *tu* as envoyé.

Il bousillait son explication de manière spectaculaire.

Abby s'essuya les lèvres délicatement à l'aide d'une serviette de papier et pencha la tête de côté tandis qu'elle réfléchissait à la question. Une mèche de cheveux échappa à son élastique et tomba en effleurant sa joue. Dan lutta contre l'envie de la glisser derrière son oreille.

— Je ne pense pas, répondit-elle enfin. Pas à moins qu'on ait piraté ton compte ou volé ton mot de passe. Pourquoi? Crois-tu qu'un fantôme se soit servi de ta messagerie sans ta permission?

Elle souleva les doigts et les fit danser dans l'air tout en poussant un «Bouuuuuuu!» exagéré.

— Oh, oh, Dan, la résidence est hantée. C'est effrayant, ça donne la chair de poule...

Dan lui tapa doucement la main. Mais elle marquait un point. Il avait l'air ridicule.

— Oublie ça. Ce n'est rien.

— Non, non. Quel était le message?

Abby reprit son sandwich. Une tranche de tomate s'en échappa et tomba dans son assiette. Elle avait l'air d'un morceau de chair peu appétissant.

— Voilà le problème. Je n'ai eu qu'un bref aperçu de l'objet du message. Puis, mon navigateur a cafouillé, et quand j'ai rouvert mon dossier de messages envoyés, il n'y avait plus rien. Le message avait simplement disparu, comme si je l'avais imaginé.

— Disparu?

Pendant un instant, Abby parut un peu mal à l'aise. Au moins, elle ne se moquait plus de lui.

Le serveur les interrompit, cette fois, pour apporter un biscuit «accidentel».

— Peux-tu cesser ce petit jeu? s'emporta Dan en lançant au type un regard furieux. Nous essayons d'avoir une conversation.

— Du calme, mon vieux. Tout baigne.

Abby se couvrit la bouche pour dissimuler son sourire, puis elle observa le mec retourner derrière sa caisse enregistreuse.

— Ah, il veut seulement se montrer aimable.

Du bout du doigt, elle poussa le biscuit dans sa petite assiette.

— Si tu le dis.

Dan croisa les bras et se cala dans sa banquette. Il ne désirait plus poursuivre cette conversation ; il savait qu'il n'aurait pas dû aborder le sujet.

Mais Abby n'en avait pas terminé.

— Nous discutions de ton écrivain fantôme, dit-elle d'un ton encourageant. Était-ce un message d'amour ?

— Non, fit-il d'un ton un peu fébrile et irritable. C'était…

Le message était gravé dans son esprit : «RE : Votre demande au sujet du patient 361 ».

— Vas-y. Je suis prête, cette fois. Je ne te taquinerai pas. Parole de scout.

Dan hésita, incertain de ce qu'il devait dévoiler. S'il lui parlait du Sculpteur, elle cesserait bel et bien de rire. Mais il regrettait d'en avoir tant dit déjà.

— C'était une note médicale, un rapport de médecin ou un truc du genre, dit-il enfin.

Il sortit son téléphone pour jeter un autre coup d'œil à son dossier de messages envoyés, au cas où le message serait réapparu comme par magie. Peine perdue...

Quand il leva le regard vers Abby, il aperçut de nouveau cette expression furtive de peur sur son visage.

— Dan…

Sa lèvre inférieure trembla, un détail qu'il aurait trouvé follement séduisant en toute autre circonstance.

— Et si…? Et si…?

Abby passa au murmure, les yeux écarquillés. Dan sentit son pouls s'emballer. Le sentait-elle aussi ? Sentait-elle qu'il ne s'agissait pas d'un incident ni d'une hallucination, mais d'une partie d'un tout beaucoup plus sinistre ?

— Et si…?

Il parvenait à peine à l'entendre avec le tremblement de peur qui s'était infiltré dans sa voix. Elle se pencha vers lui, et Dan sentit son corps faire de même, attiré de façon inconsciente vers elle. Abby dit alors de façon précipitée :

— *Et si tu étais plongé dans un mystère de Scooby-Doo ?*

— Oh, va te faire foutre.

Dan roula des yeux et se cala de nouveau contre le coussin de la banquette. Il aurait dû s'en tenir à son premier instinct, celui qui lui avait dit de ne pas en parler du tout. La réaction d'Abby le blessa réellement, surtout après qu'elle eut promis de ne pas le taquiner, mais il ne voulait pas le laisser paraître. Alors, il mêla son rire au sien et lui demanda comment se passaient ses cours en studio.

Et tandis que la discussion s'orientait vers ses cours, ses films préférés et la vie d'une adolescente à New York, Dan fut de moins en moins préoccupé par le courriel et la vision des photographies du bureau. Cet instant précis, ce dîner avec Abby, c'était la raison même de sa venue au CPNH.

Puis, son téléphone vibra sur la table. Il avait oublié l'avoir laissé là. Il le recueillit avec l'idée de l'éteindre, mais il remarqua alors un voyant annonçant un message non lu dans sa boîte de réception. Un picotement nerveux lui traversa le dos. Il appuya le pouce contre l'icône de nouveau message. L'arrière-plan blanc apparut, suivi de l'objet d'un message indiquant «RE : Patient 361 — question au sujet de la séance de jeudi». Une seconde plus tard, le tout fut soudain remplacé par un bourdonnement annonçant un nouveau texto.

Dan sursauta sur son siège et faillit échapper le téléphone.

Mais ce n'était rien de plus qu'un message de la part de Félix.

Allô, Dan. J'espère que ta soirée avec Abby se passe bien. J'ai des plans en ville, et je vais rentrer tard, au cas où tu voudrais utiliser notre chambre. Je devrais être de retour vers 22 h.

«Il choisit fichtrement mal le moment.» Quand Dan retourna à sa boîte de réception, le message avait disparu, comme le précédent. Avant même de vérifier la corbeille, Dan sut qu'il ne s'y trouverait pas. Il avait raison.

— Allô? Dan? La Terre appelle Daniel? fit Abby qui agitait une main devant son visage. Est-ce un texto de Jordan?

— Hé, salut. Oui, désolé.

Il rangea son téléphone.

— En fait, non, ce n'est pas Jordan qui m'a écrit; c'est seulement Félix.

Dan tenta de hausser les épaules d'un air désinvolte, mais c'était comme si sa peau était trop serrée. D'une seconde à l'autre, sa chemise allait se tremper de sueur. Mais il ne pouvait pas en parler à Abby. Elle semblait si heureuse, et ce soi-disant rencard se déroulait très bien, en fait. Il ne voulait pas ruiner sa bonne humeur. Plus précisément, il ne voulait pas qu'elle se moque à nouveau de lui.

— Bon, dit-il avec un sourire forcé. Tu veux partager ton biscuit mal acquis?

CHAPITRE
N° 10

Tout bien compté, avec Abby qui sirotait son espresso pour emporter à ses côtés et les étoiles qui commençaient tout juste à scintiller dans le ciel, Dan se sentait fichtrement bien. Ils rentraient au campus d'un pas tranquille pendant qu'Abby lui racontait les dernières nouvelles de la maison : ses parents avaient fait la paix pour le moment, et son père avait accepté de travailler sur un projet personnel plus créatif. Il avait même demandé à Abby de concevoir des œuvres d'art pour lancer une campagne de financement en ligne qui couvrirait les coûts d'enregistrement en studio.

— C'est une bonne nouvelle, dit-il tandis qu'il la menait dans le sentier menant à Brookline.

Il commençait à se demander s'il devait l'embrasser ou non au terme de leur rendez-vous.

« Non, non. Procède lentement, tu te souviens ? Si tu gâches ceci, tu perdras son amitié aussi. »

Par ailleurs, si elle le lui offrait, tout devenait possible. Ils se glissèrent dans le hall d'entrée, puis se dirigèrent vers l'escalier principal.

— N'oublie pas de m'envoyer le lien vers la campagne de financement quand elle sera en ligne. J'aimerais contribuer.

— Allons, fit Abby en lui donnant un coup de hanche. Tu ne sais même pas quel genre de musique il fait.

— Et alors ? J'aimerais acheter l'une de tes œuvres. Et de toute évidence, c'est important pour toi.

Elle s'arrêta sur le palier de son étage et se tourna pour lui faire face complètement. Pour elle, cela signifiait qu'elle devait pencher un peu la tête en arrière en raison de leurs tailles différentes.

— C'est vraiment… vraiment… Merci, Dan.

— Aucun souci.

Ils tournèrent le coin et se retrouvèrent dans un couloir où il n'y avait personne, à l'exception de Jordan.

— Oh, *merde*, chuchota Abby.

— Quoi ?

Le regard de Dan se promena entre ses deux amis.

— Normalement, Jordan et moi étudions ensemble après le dîner. Ça m'a complètement sorti de l'esprit.

Abby serra son gobelet de café si fort que le polystyrène craqua.

— Il doit être furieux.

Dan savait qu'ils passaient beaucoup de temps ensemble, mais il n'avait aucune idée du fait que leurs séances d'études étaient un rituel acquis. Ils ralentirent à l'approche de Jordan, qui errait devant la porte d'Abby.

— Oh, allô. Habites-tu ici ? demanda-t-il.

— Jordan, je suis vraiment désolée.

En ouvrant grand les bras, Abby s'apprêta à donner une étreinte à Jordan, mais ce dernier l'esquiva lestement.

— Non, non, ça va. Vraiment. Défais nos plans sans m'en parler, c'est cool.

Comme Abby, il tenait un gobelet jetable à la main droite. Quand il en prit une petite gorgée, Abby plissa le nez.

— Jordan, y a-t-il de l'alcool dans ton verre ?

— Non.

— *Jordan.*

— D'accord ! Oui ! s'exclama-t-il en poussant son verre sous le nez d'Abby. Tu me pousses vers la bouteille.

Abby tendit la main pour lui enlever le verre, mais Jordan recula dans le couloir. Il le porta à ses lèvres pour en vider le contenu.

Un éclair passa dans les yeux d'Abby.

— Je t'ai dit que j'étais désolée, Jordan. Que puis-je te dire d'autre ?

Dan tint le café d'Abby pendant qu'elle sortait ses clés et déverrouillait sa porte. Elle lui adressa un sourire soulagé. Dan était heureux de lui servir d'allié.

— D'ailleurs, pourquoi ne m'as-tu pas appelée plutôt que de rôder devant ma chambre ? demanda Abby.

Jordan haussa les épaules, soudain captivé par l'examen de ses ongles.

— Je ne sais pas.

— Je pense que tu le sais, alors crache le morceau, fit-elle en ouvrant la porte.

Dan s'attendit à ce que Jordan suive Abby à l'intérieur et s'en prenne à elle et à lui, mais Jordan parut hésiter à la place. Il observa la porte d'un air suspicieux, comme s'il croyait qu'Abby n'attendait que le bon moment pour la lui claquer au visage.

— Es-tu un vampire ? demanda-t-elle. Dois-je t'*inviter* à franchir le seuil ?

— Je n'étais pas certain d'être le bienvenu, c'est tout.

— Ne te montre pas ridicule, Jordan. Entrez tous les deux.

Dan passa la porte et admira sa chambre hyper chouette, décorée d'un grand nombre des œuvres d'Abby. Comme la plupart des pièces étaient colorées, palpitantes et vivantes, il ne s'était pas préparé à apercevoir une image qui se démarquait comme une rose morte parmi un bouquet : la fille aux yeux vides. Collé au mur au-dessus du lit, le dessin était la représentation exacte de la photographie. Dan fixa du regard les yeux vides et la cicatrice sur le front de la fillette en se demandant ce qui pouvait bien motiver Abby à vouloir dormir sous la garde d'une chose qui donnait autant la chair de poule. C'était difficile de regarder l'image, mais tout aussi difficile d'en détourner les yeux.

— Désolée pour le désordre, disait Abby sans paraître se rendre compte de ce qui l'ennuyait réellement.

Elle ramassa des vêtements étalés sur son lit et fit signe à Dan et à Jordan de s'asseoir. Elle tira la chaise de son bureau jusqu'au lit pour s'asseoir près d'eux.

— Maintenant, crache le morceau, Jordan. Qu'est-ce qui se passe avec toi?

Jordan avait les yeux fixés sur Abby.

— C'est seulement que… être laissé derrière… Eh bien, ça a touché un point sensible, dit-il lentement. J'avais un ami à la maison. Blake.

Jordan trébucha sur le prénom, comme s'il l'étouffait.

— Nous étions pratiquement inséparables jusqu'à ce que je lui admette, il y a quelques mois, que je suis homosexuel. Et soyons sérieux, qui pourrait me regarder cinq minutes sans arriver à cette conclusion? ajouta-t-il d'un ton amer. En tout cas, il s'est mis à m'éviter. Nous n'avons pas eu une grosse dispute ou un truc du genre. Il a seulement… disparu. Une journée, nous étions de bons amis et tout ça. Et le lendemain, il ne répondait plus à mes textos, il m'ignorait à l'école… Il me croisait dans les couloirs, et c'était comme s'il regardait *à travers* moi, comme si je n'existais pas… comme si j'étais un fantôme.

Un long silence suivit la confession de Jordan. Abby jeta un regard à la dérobée vers Dan.

— C'est injuste, chuchota-t-elle enfin. Nous n'avons pas *disparu*. Nous ne t'ignorons pas. Et je suis désolée, Jordan — nous le sommes tous les deux —, mais pour être honnête… Nous avions un rencard.

— C'est vrai? demandèrent Jordan et Dan pratiquement à l'unisson.

Dan se racla la gorge et dit aussitôt :

— C'est vrai, je veux dire.

— Oh. Tant mieux pour vous…

Jordan se mordilla l'intérieur de la joue. Ses paroles ne ressemblaient pas tout à fait à des félicitations.

— Mais la prochaine fois, si nous avons planifié quelque chose avec toi, nous t'appellerons, ajouta Abby rapidement. D'accord?

— D'accord.

Jordan ressemblait à un petit enfant qui avait obtenu ce qu'il voulait, mais qui était incapable de cesser de bouder.

— Abby… commença Dan, qui ne pouvait refouler la question plus longtemps. Pourquoi as-tu fait ce dessin?

Abby suivit son regard vers l'image de la fillette, comme si elle ne comprenait pas de quelle œuvre il parlait.

— Je ne sais pas. Pourquoi pas? dit-elle. Elle paraissait si triste que je voulais qu'elle se sente dans un lieu sécuritaire. Elle était manifestement esseulée en bas, dans le noir et la poussière. J'ai seulement cru que je pourrais l'amener dans un endroit un peu plus lumineux pendant un petit moment.

Elle observa son dessin.

— Wow… Je n'ai pas vraiment songé au fait que ça donne la chair de poule.

Elle marqua une pause.

— Est-ce étrange ?

— Oui, répondit Jordan en premier.

— Vraiment ? Tu le crois aussi, Dan ?

« Réfléchis avec un grand soin aux prochains mots que tu prononceras. »

— Eh bien… Ça ne te perturbe pas le moindrement ? C'est une petite fille très… *insolite*, c'est tout.

— Bon travail, articula Jordan en silence dans le dos d'Abby en levant ses deux pouces en l'air.

Abby resta silencieuse un moment.

— C'est comme si elle me parlait. Comme si elle avait besoin de moi.

— Ne le prends pas mal, Abby, mais c'est un peu fêlé comme idée, dit Jordan.

— Probablement, répondit-elle en riant doucement. Je suppose que *je suis* un peu fêlée. Mais… bah. Nous devrions faire quelque chose, vous savez ? Sortir d'ici… Aller quelque part ! Qu'en penses-tu, Jordan ? Vas-tu nous donner la chance de nous racheter ?

Le visage d'Abby s'égaya quand elle ajouta :

— Que diriez-vous d'aller revisiter ce vieux bureau sinistre ?

— Je ne sais pas… fit Jordan, qui chercha l'aide de Dan du regard. La dernière fois, c'était un peu… étrange…

Il ne compléta pas sa pensée.

Dan voulait être en accord avec Abby. Il voulait se ranger de son côté et lui montrer qu'elle pouvait compter sur lui.

Mais entre l'image sur son mur et les courriels étranges reçus plus tôt au sujet du patient 361, Dan sentait qu'il avait eu assez la frousse pour une soirée. Plus il y songeait et plus il avait l'impression que quelque chose dans ce bureau exerçait une traction sur lui. Mais après son premier rencard avec Abby, le moment était mal choisi pour lui dire non.

— Pourquoi ne pas y jeter un coup d'œil? dit Dan d'un ton prudent. Il n'y a probablement rien en bas, mais…

— Exact, fit Abby, qui tendit la main vers celle de Jordan. Ce n'est rien de plus qu'un ramassis de vieilles photos. Il n'y a aucune raison d'avoir peur.

— Ce n'est pas ça, le problème, s'emporta Jordan. J'essaie de nous éviter une expulsion. De ne pas *me* faire jeter à la porte! Je ne suis même pas censé être ici. Si mes parents l'apprenaient, je ne vous dis pas dans quel bourbier je me retrouverais.

— Calmez-vous, les amis. Je suis certain que nous pouvons nous entendre sur une activité.

Dan avait opté pour la neutralité dans l'espoir de diminuer la tension dans la pièce. Par ailleurs, il aurait toujours le loisir d'explorer l'endroit seul plus tard.

— Mais nous sommes deux contre un. Dan et moi voulons y aller. N'est-ce pas, Dan? dit Abby.

— Ouais, mais…

— Enfin, il pourrait y avoir un indice dans le bureau au sujet de ce courriel que tu as reçu et de ton mystérieux écrivain fantôme…

— Quoi? demanda un Jordan ragaillardi, qui lança un regard scrutateur à Dan. Quel courriel?

— Hé, je n'avais pas vraiment encore décidé de partager cette information.

— Oh, oh! C'est une première querelle d'amoureux? Et au sujet d'un écrivain fantôme? Qu'est-ce que j'ai loupé, exactement?

Jordan se rassit sur le lit et tapota le matelas à côté de lui. Dan et Abby restèrent debout tous les deux.

— Dan a reçu un message étrange, mais au moment où il allait le lire, il a disparu. Une babiole de médecin, un rapport sur un patient ou un truc du genre.

Dan se hérissa.

— Peut-être que c'est un fantôme de données, dit Jordan.

— Qu'est-ce qu'un fantôme de données? demanda Dan.

— C'est comme un fragment de conscience humaine qui reste prisonnier d'un équipement technologique même après la mort de la personne… Une bribe d'âme qui tente d'entrer en contact avant de disparaître pour toujours. Elle peut communiquer, mais pour une courte période de temps seulement avant de se détraquer et de se dégrader.

Cette explication paraissait sinistrement juste aux yeux de Dan. Peut-être qu'il n'était pas fou, après tout… Mais l'idée d'un écrivain fantôme *réel* n'avait rien de réconfortant.

— Ça existe vraiment? Pourquoi n'en ai-je jamais entendu parler avant?

— Oh, non. Ce n'est pas réel, rit Jordan, qui rejeta l'idée d'un mouvement de la main. Du moins, je ne le crois pas. J'ai vu ça dans un épisode de *Doctor Who*. Mais c'est similaire à ce qui est arrivé, non?

— Oui, acquiesça Abby, mais je pense que Dan cherchait une explication moins issue de la science-fiction. Et si c'est la *réalité* qui l'intéresse, il la trouvera probablement dans le bureau. Vous ne pensez pas?

Jordan arpenta le sol. Il sortit un dé de sa poche et le fit passer d'une paume à l'autre. Abby tendit la main pour l'intercepter et le cacher dans son poing.

— Tu as bien dit que c'était un truc de médecin, n'est-ce pas, Dan ? Peut-être que quelque chose dans le bureau cherche à communiquer de l'au-delà, ou alors ce machin veut t'envoyer des ondes cérébrales psychiques pour te foutre la trouille.

Il y eut une pause silencieuse durant laquelle les trois comparses réfléchirent à cette proposition.

Enfin, Jordan reprit la parole.

— Dan, si un truc inexplicable se produit, pourquoi voudrais-tu aller te foutre le nez au beau milieu de tout ça ? Enfin, je ne dis pas ça parce que j'y crois... mais ne vaut-il pas mieux ne pas réveiller le chat qui dort ? Qu'espères-tu découvrir ?

Dan haussa les épaules. À la cassure dans la voix de Jordan, Dan devina qu'ils avaient gagné. Allant à l'encontre de son bon sens, Jordan les accompagnerait en bas.

— J'ai l'impression que je le saurai en le voyant.

CHAPITRE
N° 11

Cette fois, Jordan mit peu de temps à déjouer la serrure.

— Une fois encore à la brèche? tenta de plaisanter Dan en citant Shakespeare.

Personne ne répondit. «Idiot», se dit-il.

L'endroit était aussi sombre et poussiéreux que dans les souvenirs de Dan. Il frissonna — de froid ou d'excitation, il n'aurait pu le dire. C'était probablement un mélange des deux.

Même s'il ne s'agissait que de leur deuxième visite, ils traversèrent rapidement l'aire de réception et retracèrent leur voie jusqu'au bureau du directeur.

Dan tint la porte ouverte jusqu'à ce que tout le monde l'ait passée.

— Bon, par où commencer? demanda Jordan dans un murmure nerveux.

— J'ai l'impression qu'il doit y en avoir plus à découvrir sur cette vieille aile, dit Dan. Ce qui voudrait dire qu'il doit y avoir une porte quelque part par ici.

Du moins, il espérait sincèrement que l'aile était plus grande. Il trouvait extrême le fait que les villageois souhaitent démolir tout un édifice en raison d'une aire de réception poussiéreuse et d'un bureau en désordre. Il devait y avoir autre chose. Il avait aussi la sensation que l'asile était plus profond.

— Cherchez des portes cachées, des charnières, n'importe quoi, dit-il en se frayant un chemin entre ses amis.

Le faisceau de la lampe de poche qu'il avait apportée cette fois bondit entre le plancher et les murs tandis qu'il étudiait les classeurs et les bibliothèques. Abby se glissa vers le mur près du bureau et repéra tout de suite la photographie de la fillette. Jordan demeurait figé sur place, comme s'il en avait déjà assez vu. Dan les ignora et poursuivit sa recherche.

Il se déplaça d'une bibliothèque à l'autre et mit en lumière les espaces entre les meubles. La poussière recouvrait tout, chatoyant dans l'air à la moindre perturbation. En procédant dans le sens horaire, Dan aboutit devant un petit groupe de classeurs longeant le mur derrière le bureau du directeur. Le troisième classeur saillissait de façon étrange, comme s'il avait été tiré du mur, puis repoussé à moitié contre celui-ci. Il avait trouvé le chemin, il en était sûr. Comme pour confirmer ses soupçons, des lunettes brisées et rouillées étaient suspendues à un crochet de l'autre côté du classeur. Il tendit la main vers elles, mais freina son mouvement. Il y avait des traces de doigts sur le mur près des lunettes, comme si quelqu'un les avait accrochées avec une main ensanglantée.

— Je pense que j'ai trouvé quelque chose, les amis, dit-il tandis qu'il tendait la main vers l'arrière du classeur pour en agripper le bord.

Il tira dessus, et le classeur avança d'environ un centimètre. Ses pieds en métal grincèrent contre le sol.

— Qu'est-ce que tu fabriques ? siffla Jordan. Ne brise rien.

— Laisse-moi te donner un coup de main.

Abby se tenait à ses côtés. Elle empoigna le devant du classeur par le rebord.

— Un, deux, trois, compta-t-elle.

Ils tirèrent avec effort, et le classeur avança d'une trentaine de centimètres, ce qui leur permit d'entrevoir une ouverture derrière.

— Pas possible, souffla Abby. Un passage secret ? Est-ce bien réel ? Comment as-tu su où regarder ?

— En raison des lunettes, dit Dan, qui pointa vers le crochet et les lentilles.

Abby observa les traces de ce qui semblait être du sang et frémit, puis elle sembla rassembler ses esprits.

— Si nous tirons encore un peu, je pense que nous pourrons nous glisser de l'autre côté, dit-elle d'un ton neutre.

— Nenni. Non, merci. Je ne mettrai *pas* les pieds là-dedans.

Jordan recula de quelques pas et brandit les mains en signe de capitulation.

— Comme tu veux. Moi, je veux voir où mène ce passage, dit Abby.

Elle fit signe à Dan de lui donner un coup de main, et après une dernière hésitation, ce dernier tendit les mains vers l'arrière du classeur et tira. Ils tirèrent rapidement deux fois de plus, et la voie fut dégagée.

— Sers-toi de ta lampe de poche, Dan. Je n'y vois rien.

Il entra le premier, le cœur battant dans ses oreilles.

— C'était probablement une vraie embrasure de porte à une époque, mais on dirait que quelqu'un a tenté de la sceller avec de la brique, dit Dan tandis qu'Abby et lui s'accroupissaient pour entrer dans la pièce suivante.

— Dans ce cas, qui a rouvert le passage ?

Dan dispersa des morceaux de brique et de mur du bout des pieds.

— La professeure Reyes a mentionné un séminaire pour les élèves de dernière année qui vise à archiver cet endroit. Je suppose qu'ils ont dû ouvrir une brèche dans le mur pour accéder aux lieux.

Le plafond et les murs s'ouvrirent, et après avoir balayé rapidement l'endroit de sa lampe de poche, Dan établit qu'il s'agissait d'un deuxième bureau plus petit qui ne contenait rien de plus que deux classeurs brun pâle et un escalier en colimaçon à la droite.

— Qu'y a-t-il de l'autre côté? cria Jordan derrière eux, ce qui les fit sursauter tous les deux.

— Pas grand-chose, répondit Dan à l'approche des classeurs.

De petites pancartes comportant des ensembles de lettres («A à D», «E à I», etc.) étaient apposées sur chaque tiroir.

— Rien de plus que des dossiers de patients, je crois. Tu peux nous rejoindre, si tu veux.

Jordan surgit du passage étroit, les yeux écarquillés et effrayés. Il remarqua l'escalier sombre et eut un mouvement de recul.

— Je t'en prie, dis-moi que tu n'as pas l'intention de descendre cet escalier, Abs.

— Nous n'avons encore rien trouvé, répondit-elle avant de projeter la lumière de son téléphone vers l'escalier. Je sens le froid. Je parie que cet escalier mène à un étage complet plus bas.

— Et c'est exactement pourquoi nous ne devrions pas descendre. N'as-tu jamais regardé un seul film d'horreur? Bordel!

— Je veux seulement voir où il mène, dit-elle. Et les marches ne semblent pas être en si mauvais état.

Elle posa un pied avec précaution sur la plus haute marche, puis elle y transféra son poids.

— Tu vois? C'est assez solide.

— J'y vais avec toi, offrit Dan.

— Très bien. Génial. Plongez dans l'abysse tous les deux, alors. Pendant ce temps, moi, je vais rester ici, à l'abri des meurtriers à la hache.

Ensemble, Dan et Abby descendirent l'escalier avec prudence en mettant à l'essai chaque marche avant d'y poser tout leur poids. Dan voulait croire que c'était romantique, leur façon de veiller l'un sur l'autre, mais c'était là une exagération, même sans tenir compte du froid et de l'odeur de moisi qui se faisait plus forte à chaque pas. Enfin, l'escalier s'arrêta brusquement pour aboutir dans un corridor étroit. Ils s'y avancèrent lentement. Les parois semblaient exercer une pression sur eux, ce qui donna à Dan l'impression d'être incapable de respirer. Il songea que les personnes qui avaient travaillé là avaient dû souffrir de claustrophobie, surtout quand ils poussaient un fauteuil roulant ou un lit dans ce couloir étroit.

Des portes commencèrent à apparaître à gauche, puis à droite, à des intervalles de quelques mètres. Abby se posta devant l'une et dirigea le faisceau de son téléphone vers la petite fenêtre étroite dans la porte.

— Mon Dieu, murmura-t-elle. Il y a encore des trucs qui traînent.

— Quel genre de trucs? Allons voir.

Dan ouvrit la porte et avança petit à petit dans la pièce, effrayé à l'idée de ce qu'ils allaient y trouver. Il illumina les ténèbres de sa lampe de poche.

Il se sentit tout de suite malade. C'était la chambre de sa vision, dans les moindres détails — incluant la table d'opération, ainsi que les chaînes et les entraves boulonnées au mur. Comment avait-il pu avoir une vision d'une pièce dans laquelle il n'avait jamais mis les pieds? Il fut pris de tremblements et d'une faiblesse, et il s'adossa au mur tandis qu'Abby faisait le tour de la pièce, éclairée par la petite lumière de son téléphone.

— Qu'est-ce qu'il y a sur cette table? demanda-t-elle en pointant la tache couleur rouille sur le drap blanc.

— Du sang, dit Dan.

— Comment peux-tu en être si certain?

«Je n'en ai aucune idée.»

— C'est si triste, ici.

Abby leva les yeux vers la seule fenêtre dans la pièce — une fenêtre traversée de barreaux, comme si quiconque aurait pu se glisser par une ouverture si étroite et si haute. Étant donné la profondeur où ils se trouvaient, la fenêtre devait à peine atteindre la surface du sol, si elle menait même à l'extérieur.

— Vivaient-ils réellement de la sorte?

— Ce lieu rendrait n'importe qui fou, affirma Dan avec un frisson violent. Sortons d'ici.

Par «ici», il faisait référence au sous-sol en soi, mais quand Abby se tourna pour les guider plus loin dans le corridor, Dan ne l'arrêta pas. Enfin, le couloir étroit s'ouvrit sur une espèce de petite rotonde, et deux portes se dressaient à l'autre extrémité de la courbe.

Abby approcha de la porte à gauche, qu'elle éclaira à la lumière de son téléphone.

— D'autres bureaux? demanda-t-elle.

— Je ne sais pas… Je croyais que tous les bureaux se trouvaient à l'étage…

Dan ouvrit la porte gauche (déverrouillée) et fit un pas dans la pièce. La pagaille régnait. Le contenu de six — non, sept — classeurs était éparpillé sur le sol. Il y avait des feuilles, des notes écrites à la main et des dossiers réunis dans des piles qui lui arrivaient à la taille. C'était comme si quelqu'un avait effectué une fouille désespérée et n'avait pas eu le temps de tout ramasser.

Dan se fraya un chemin dans le désordre pour atteindre la porte à l'autre bout de la pièce et y jeter un coup d'œil. Il ne put s'empêcher de sourire quand il éclaira le prochain bureau de sa lampe de poche. « Bingo. »

— Quel est cet endroit ? demanda Abby. Peut-être un lieu de rangement ? Je veux dire, il y a des trucs jetés partout…

— Non, viens voir.

Dan passa dans la pièce suivante, Abby sur les talons. Le faisceau de sa lampe éclaira un bureau et une chaise au dossier haut qui se trouvait derrière. Cette pièce était aussi rangée que la pièce précédente était un fouillis. En fait, l'endroit était si merveilleusement et bizarrement intact qu'une lettre à moitié achevée était posée sur le bureau, abandonnée. Une plume avait depuis longtemps imbibé le papier d'encre. Dan se pencha au-dessus de la petite chaise réservée aux visiteurs pour mieux y voir, mais ce qui avait été écrit sur la feuille était maintenant caché par l'encre renversée. « Merde. » Il se sentit idiot d'être aussi déçu. À quelle découverte s'était-il attendu ? Quelque chose dont le titre aurait ressemblé à l'objet des courriels fantômes ?

Un petit dossier en cuir se trouvait aussi sur le bureau. Dan le recueillit et s'apprêtait à le feuilleter quand Abby lui dit :

— Regarde ça, Dan.

Dan glissa le dossier dans la poche de son pull kangourou et contourna le bureau. Il y avait quelques photographies dans des cadres autoportants alignés près d'une lampe de bureau antique à l'abat-jour vert et en vitre. Abby tenait l'un des cadres à la main, qu'elle remit à Dan.

Des infirmières aux tabliers et aux masques propres prenaient la pose dans un rang parfait autour du directeur, assis à l'avant, qui portait une blouse de médecin et des lunettes. Chaque sujet regardait droit devant à l'exception d'une infirmière à l'extrême droite, dont la tête était penchée de côté dans une position anormale, comme si on lui avait cassé le cou juste avant que la photo soit prise.

Dan recula d'un pas et s'imagina le directeur notoire de Brookline assis à son bureau, replaçant ses lunettes, plongé dans une recherche ou occupé à la composition d'une lettre — peut-être même *cette* lettre, celle tachée d'encre noire renversée. Une deuxième paire de lunettes, moins rouillée que la première, était posée sur le bureau près des photos. Sans en avoir vraiment conscience, Dan tendit la main vers celle-ci. Les lunettes étaient fragiles et glaciales au toucher, mais il les tint entre ses doigts et les retourna jusqu'à ce que les lentilles captent la lumière et scintillent sous la poussière. «Essaie-les, Dan.» Et c'est ce qu'il fit. Elles lui allaient parfaitement. Il observa de nouveau la photographie du directeur et des infirmières — la photographie sur laquelle personne ne souriait. La vitre du cadre lui renvoya son reflet, superposé à la photo. Il s'aperçut avec étonnement qu'il ressemblait beaucoup au directeur.

Il arracha les lunettes de son visage, comme si elles l'avaient brûlé.

Puis, quelque chose le frappa. Il avait déjà aperçu cet homme — le directeur. *À deux reprises...*

— Elles semblent certainement enchantées d'être ici, fit remarquer Abby, mais Dan l'entendit à peine.

— Hé, les amis! Les amis? J'ai trouvé quelque chose ici!

C'était la voix de Jordan qui se réverbérait depuis l'étage supérieur, à peine audible à leurs oreilles à l'autre bout du couloir. Dan déposa le cadre là où Abby l'avait trouvé. Il alla même jusqu'à le replacer exactement là où il avait laissé une marque dans la poussière. Il eut l'impression que la dernière chose à faire était de *troubler* un lieu comme celui-là.

Ils se dépêchèrent à revenir dans le couloir et à gravir l'escalier, leurs pas plus assurés, maintenant qu'ils avaient déjà franchi ce chemin. Jordan était au beau milieu d'une fouille des classeurs organisés en ordre alphabétique. Son téléphone cellulaire inséré entre sa joue et son épaule, il feuilletait le contenu du premier tiroir. Il était rempli de fiches jaunies.

— Il y a une tonne de dossiers ici, dit-il. Ces classeurs doivent renfermer tous les dossiers des patients. Écoutez ça : chaque patient est un criminel aliéné.

Dan et Abby étirèrent le cou par-dessus son épaule pour voir ce que Jordan voulait dire.

Jordan extirpa l'une des fiches, et ils se penchèrent sur celle-ci pour l'étudier. C'était la fiche d'un patient du nom de Frank Bittle. Elle indiquait son nom, sa date de naissance et sa ville d'origine. Un encadré contenait la mention «DDA : 13-03-1964». Cela devait faire référence à la date d'admission. Un hôpital psychiatrique ne soignait certainement pas des patients morts à leur arrivée, n'est-ce pas? Un autre encadré en dessous donna la chair de poule à Dan et indiquait : «Meurtrier». Il était suivi de cases à cocher comportant les lettres «O» et «N». Sur cette fiche en particulier, la case «O» avait été cochée, oui. Frank Bittle était un meurtrier. Sous l'encadré «Guéri», un «N» indiquant qu'il n'avait pas été guéri était inscrit.

Abby replaça la fiche et en feuilleta encore quelques-unes. Sur chacune d'entre elles, la case «O» était cochée à l'encadré «Meurtrier», et la lettre «N» était inscrite à l'encadré «Guéri».

— Regardez. Celui-ci a mis le feu à sa maison tandis que sa famille se trouvait à l'intérieur, dit Abby.

— Personne n'a fait mention de cela dans la brochure d'admission, fit Jordan, qui tira une autre fiche pour l'inspecter de plus près. Celui-ci a tué ses trois épouses avant d'être arrêté et envoyé ici.

Le cerveau de Dan s'emballa. Pendant que Jordan et Abby sortaient d'autres fiches du classeur, il s'accroupit pour ouvrir le tiroir du milieu. Peut-être qu'il y trouverait la fiche de Dennis Heimline, une fiche qui lui indiquerait ce qui était advenu de lui. Il fit défiler les fiches rapidement, passant Gabler, Gentile et Gold. «Ah, voici un nom en H.» Hall, Harte, Heimline… Il tendit la main pour tirer la fiche du tiroir…

Et une main agrippa son épaule.

— Je t'ai eu! fit une voix.

CHAPITRE
N° 12

Dan poussa un cri de surprise. Dans la lumière aveuglante d'une nouvelle lampe de poche, il ne pouvait voir qui avait empoigné son épaule. Il crut que son cœur allait exploser.

— Hé! Du calme! Ou quelqu'un ici va se faire mal.

C'était Joe, le surveillant de couloir rouquin qu'il avait aperçu à la réunion d'orientation. «Merde.» Dan sentit une perle de sueur couler le long de sa tempe.

— Une pancarte et un cadenas sur la porte ne suffisent pas? Comment êtes-vous entrés ici, de toute façon? Sortez; cet endroit n'est pas sécuritaire. Il y a des dommages causés par l'eau partout. Sans parler des rats.

Dan déglutit avec difficulté.

— Il n'y avait pas… Nous n'avons pas…

— Vous n'avez pas quoi? Réfléchi? Allez, ouste, sortez d'ici.

Joe lui tourna le dos, et à la vitesse de l'éclair, Dan extirpa la fiche sur Dennis Heimline du tiroir et l'enfonça dans sa poche.

— Merde, gémit Jordan. Je suis complètement fichu.

— Laisse-moi faire, chuchota Abby. Suis mon exemple, OK?

Comment pouvait-elle être si calme? Les mains de Dan tremblaient, et il transpirait carrément, à présent. Ça ne lui ressemblait *pas*. Il n'était pas un fauteur de troubles. Il était un lecteur, une personne studieuse qui suivait les règles. Qui était ce garçon qui était entré par effraction dans ces bureaux et qui avait commis des vols?

De sa lampe de poche, Joe éclaira le sol à leurs pieds et attendit qu'ils franchissent tous les trois le passage dans le mur. Quand Dan se redressa à la verticale de l'autre côté, Abby semblait se frotter les yeux avec vigueur et se barbouiller le visage de poussière.

— Elle va bien? demanda Dan à Jordan à voix basse.

Jordan haussa les épaules.

Joe leur fit signe de se diriger vers l'ancienne aire de réception. Quand il les réunit tous dans le couloir du premier étage, Dan chercha désespérément à trouver une façon de prétendre que tout cela faisait partie d'un devoir pour le cours de la professeure Reyes. Chaque excuse qui lui venait à l'esprit semblait moins plausible que la précédente. Joe s'arrêta devant la porte pour refermer le cadenas et dit :

— OK. Voici ce qui va se passer. Je vais…

Soudain, Abby fondit en larmes.

Jordan passa immédiatement un bras autour d'elle, et elle s'effondra contre lui.

— N-n-nous s-sommes s-si désolés, Joe, sanglota-t-elle avant d'essuyer son visage taché, les larmes ayant laissé des traces sur son visage poussiéreux. Nous n-n'avions pas l-l'intention de b-briser les règles. Nous é-étions si-si curieux… Je t'en prie… Je s-suis si dé-désolée!

À l'avis de Dan, sa performance était trop théâtrale, ce que Joe sembla aussi remarquer, puisqu'il roula des yeux. Mais alors, Abby inspira profondément et éclata dans le sanglot le plus cru et déchirant que Dan ait jamais entendu. Joe parut consterné, et Dan put voir son autorité se fissurer devant leurs yeux. Joe pensait au monstre qu'il aurait dû être pour décider de la dénoncer.

— Ne t'inquiète pas, dit Dan avec douceur tout en tapotant l'épaule d'Abby. Tout ira bien.

— Pour l'amour de… Ne le refaites plus, d'accord? Je parle sérieusement. Bas les pattes.

Joe projeta le faisceau de la lampe de poche sur chaque visage, tour à tour. Abby opina de la tête avec énergie quand son visage fut illuminé.

— Maintenant, retournez dans vos chambres. *Tout de suite.*

Il s'éloigna en marmonnant des mots inintelligibles.

— Bordel de merde! *Tu as été incroyable*, chuchota Jordan dès que Joe fut hors de vue.

Puis, il se tourna, tira Abby dans ses bras et la souleva dans les airs.

— Un moment digne d'un Oscar, il n'y a pas de doute!

— Merci, fit-elle en essuyant ses dernières larmes du dos de la main.

Sans dire un mot de plus, elle prit la direction de l'escalier.

— Nous l'avons échappé belle.

— «Échappé belle»? Pas du tout. Nous avons été *pris*, dit Dan, qui avait l'impression de remonter à la surface des profondeurs troubles d'un marais.

Et dire qu'Abby et lui avaient eu un rencard seulement quelques heures plus tôt. Un rencard agréable et *normal*…

Ils atteignirent la porte d'Abby.

— Bon sang, j'ai besoin d'une douche, dit-elle d'un ton qui ne semblait pas le moindrement décontenancé.

Mais l'idée d'une douche était alléchante. La peau de Dan démangeait en raison de la poussière et de la saleté qui s'étaient logées dans ses pores, et plus il y pensait, plus ça le démangeait. Il allait se déchirer la peau bientôt, mais il voulait d'abord parler à Abby une dernière fois avant de regagner sa chambre. Il jeta un regard à Jordan pour tenter de lui signifier qu'il souhaitait dire au revoir à Abby dans l'intimité, qu'elle soit poussiéreuse ou non.

— Très bien, sur cette note, je dois aller prier, fit Jordan, à bout de souffle. Prier beaucoup. Je vais prier toutes les divinités qui existent pour les remercier de m'avoir épargné un renvoi.

Jordan trottina dans l'escalier, une main dans la poche et l'autre extirpant son dé fidèle. Dan l'entendit siffler une petite ritournelle en s'éloignant ; la chanson flotta toujours plus haut avant de s'estomper.

Quand il fut certain qu'ils étaient seuls, Dan dit à Abby :

— J'ai vraiment passé une belle soirée. Avant que nous nous fassions prendre, évidemment.

— Ouais, répondit Abby.

Quelque chose déconcertait Abby, cependant. Son regard se promena de l'épaule de Dan au sol pour finalement revenir vers ses yeux.

— Je me suis amusée, moi aussi.

— Je suis désolé que Joe nous ait surpris et que tu aies été obligée de pleurer… Mais tu as été incroyable, honnêtement. Nous serions dans un sérieux pétrin sans toi.

— Ce n'était rien.

Puis, elle haussa les épaules et ajouta brusquement :

— Je te verrai demain matin, Dan, OK ?

Il opina trop vite de la tête, ce qui éradiqua du coup toute impression de nonchalance qu'il espérait projeter.

— Ouais, bien sûr. Dors bien, Abby. Sois un arbre.

Ils poussèrent tous les deux un rire nerveux, le regard rivé sur leurs pieds. Le courant qui était passé entre eux plus tôt en soirée (s'il y avait bel et bien eu courant) avait disparu. Évidemment, comment aurait-il pu en être autrement, tout considéré?

— Eh bien, bonne nuit.

Abby lui envoya brièvement la main, puis entra dans sa chambre. Un mouton de poussière était suspendu comme une bardane dans ses cheveux. Il aurait dû le retirer de là.

CHAPITRE
N° 13

Dan était mort de fatigue. Tandis qu'il s'engageait dans l'escalier, il avait de la difficulté à croire qu'il était à peine 22 h. Toutefois, ses pensées les plus pressantes n'étaient pas tournées vers le sommeil. À chaque pas franchi, il sentait une pointe d'énergie monter en lui. Il avait en main la fiche du Sculpteur! Et un dossier en cuir à parcourir! Plus il approchait de sa chambre, plus il se sentait agité.

Dan fut soulagé de constater que Félix était toujours absent. Il voulait examiner les trucs dérobés en privé. Il sortit la fiche et le dossier de sa poche et les posa sur son bureau. Ses doigts furent repoussés par ceux-ci. La puanteur du sous-sol et sa démangeaison lui donnaient l'impression d'être malpropre. Mais il ne pouvait pas s'arrêter.

Il examina d'abord la fiche.

Heimline, Dennis. Alias : le Sculpteur
Naissance : 1935
DDA : 15-05-1965
Meurtrier : O
Guéri : O

« O ? »

Dan fut étonné par cette dernière ligne. Un meurtrier en série *guéri*? Comment? Comment pouvaient-ils le déterminer? Puis, un autre élément attira son regard au coin inférieur droit de la fiche : trois chiffres écrits à la main : «361».

Soudain, Dan se griffa l'épaule pour soulager sa démangeaison. La fiche resta posée au même endroit sur son bureau, mais le numéro 361 parut scintiller. «Ressaisis-toi, Dan», se dit-il. Décidément, il devait se calmer, prendre une douche. Mais d'abord, il cacha la fiche et le dossier dans son tiroir. «En compagnie du directeur...»

Dan se tint sous le jet de la douche un bon moment. Jung avait sa propre interprétation des coïncidences, une interprétation que Dan avait toujours bien aimée. En gros, il affirmait que lorsque les gens voyaient un lien significatif entre deux moments — une coïncidence —, ce lien ne signifiait pas que l'un des moments menait à l'autre. Cela signifiait plutôt que les cerveaux des gens faisaient sans arrêt des connexions.

Le Sculpteur *était* le patient 361. Sa découverte ne pouvait être une coïncidence. Il y avait un lien.

Dan mania maladroitement la serviette et ses vêtements dans sa hâte à regagner sa chambre.

Il recueillit le dossier et parcourut les feuilles à l'intérieur. Il y avait des factures, des évaluations d'employés… Dan accorda à chaque feuille un coup d'œil rapide, mais ne s'arrêta sur rien avant de parvenir à un bout de papier plié. La feuille était déchirée, comme si on l'avait arrachée d'un journal ou d'un calepin. Une écriture dense et cursive couvrait la page.

Il s'assit sur le lit pour entreprendre sa lecture.

La nature même de son affection continue de me dérouter et de nous dérouter tous. Quelle est la source de cette anomalie? Partout, nous observons des plantes, des animaux, des systèmes possédant un noyau. Chaque fleur a sa semence. Chaque animal a son cœur. Chaque chef-d'œuvre a son inspiration. Pourtant, les réponses continuent de m'échapper. Il y a quelque part une racine pour son cerveau, une racine tordue qui fait germer la folie et la malveillance. Je vais la trouver. En dépit du coût et en dépit de la difficulté, je vais la trouver. Je vais mener une grande vie. Mes collègues vont certainement avoir ma tête de façon métaphorique, mais moi, je dis : « Qu'ils me pendent ! » En mettant de côté la légalité, la moralité et la sympathie, je vais déterrer la racine noire de la folie, et je laisserai un héritage qu'aucun homme, aussi moralisateur soit-il, ne pourra entacher.

Une grande vie... Voilà ce que l'humanité mérite. Non pas une vie moyenne ni même ordinaire ; elle mérite une vie dans laquelle le génie n'est pas une anomalie, mais une attente.

Mais pour réussir de telles choses

Et voilà où le texte se terminait sur la page. Dan la retourna, parfaitement conscient que le verso était vide, mais désireux d'en savoir plus, beaucoup plus. Sans contexte, sans signature, ce bout de papier ne donnait pas beaucoup d'indices.

Celui qui avait écrit ce texte parlait manifestement du fait de guérir une personne démente. Et il discutait de quelque chose d'inhabituel, d'un nouveau traitement qu'il était le seul à pouvoir découvrir. Le cerveau de Dan s'emballa. Il ne s'agissait pas des réflexions d'un médecin quelconque de Brookline ; il devait s'agir des idées du directeur, et pas de n'importe lequel, s'il pouvait se fier à Sal Weathers, l'adepte des théories du complot. Ce devait être *le* directeur, celui qui avait transformé l'histoire de Brookline et avait réhabilité un meurtrier en série.

À la relecture de la page de journal, Dan admira la vision de grandeur du directeur. Cet homme était prêt à mettre à l'essai une méthode révolutionnaire pour guérir la démence. Il osait être différent et mettre en question le statu quo. Même si cela causait son rejet par ses pairs. Faire fi de l'opinion et de la foule populaires afin d'aspirer à quelque chose de plus élevé, n'était-ce pas un peu ce que Dan faisait?

Toutefois, Dan songea au fait que cette note ne faisait pas seulement la promotion de l'intelligence. Il y avait un ton sous-jacent un peu plus sinistre là où il était question du génie comme d'une attente. Le génie, c'était très bien, mais c'était impossible de l'*imposer* aux gens, n'est-ce pas? Par ailleurs, quel type de traitement pouvait accomplir une telle chose? Qu'est-ce qui pouvait permettre d'inscrire un «O» à la case «Guéri»?

Dan se cala contre son oreiller et tenta d'imbriquer les morceaux du puzzle dans sa tête : la photographie horrible du patient qui se débattait, ce bout de papier rédigé par le directeur au sujet d'un homme dément, les courriels à propos du patient 361, le Sculpteur. Tout semblait s'additionner. Mais pour donner quelle somme?

Dan recueillit son ordinateur portable. Quand il consulta de nouveau le site Web de Sal Weathers et cliqua sur le bouton «Pour me joindre», il était totalement à la recherche d'une adresse électronique. Mais ce bon vieux Sal avait inclus toutes ses coordonnées, et Dan fut étonné de découvrir qu'il habitait non seulement le New Hampshire, mais aussi dans le village de *Camford*.

— Il fait partie de ceux qui ont signé les pétitions dont la professeure Reyes faisait mention, je parie, murmura Dan.

Ceci expliquait pourquoi Sal Weathers était si déterminé à répertorier et à publier l'histoire sordide de Brookline : il espérait probablement voir l'endroit démoli.

Une partie de lui souhaita que Sal habite à l'autre bout du pays, voire au Cambodge, afin que la tentation d'aller lui rendre visite ne soit pas si forte. Cependant, tous les signes pointaient vers une rencontre avec cet homme, et Dan n'allait certainement pas ignorer un message lancé par l'univers.

— Donc, c'est officiel, chuchota-t-il à son ordinateur. Je suis obsédé.

Il se tenait dans une cellule, dans l'attente. Enfin, plusieurs médecins entrèrent, tous vêtus de blouses et de masques. Dan attendit qu'ils lui fassent du mal, mais ils ne semblèrent pas remarquer sa présence. Ils se postèrent en cercle et discutèrent en prenant des notes dans leurs carnets. Puis, Dan entendit un cri. Deux préposés surgirent dans la pièce en tirant une fillette. Elle était à peine âgée de 10 ans, et son visage lui était familier : pâle et effrayé avec des yeux écarquillés.

— Très bien, collègues, au travail.

Au son de sa propre voix, Dan s'éveilla en sursaut. Même dans ses rêves, il n'y avait pas d'évasion possible.

CHAPITRE
N° 14

Normalement, Abby le devançait à la salle à manger, mais même s'il avait veillé tard dans la nuit et avait eu un sommeil entrecoupé, Dan ne vit pas la moindre trace d'Abby ou de Jordan quand il se mit en file pour le petit-déjeuner.

Il empila des pommes de terre rissolées, des œufs et quelques tranches de bacon dans son assiette et recueillit un bol de céréales au bout de la table de buffet avant de se diriger vers leur point de rencontre habituel, une table ronde près des fenêtres à l'autre bout de la salle. Tandis qu'il finissait de manger ses œufs et son bacon, il observa d'autres étudiants se mettre en file, mais il n'y avait toujours aucune trace d'Abby et de Jordan. Il se tourna vers son bol de céréales en prenant son temps.

Pendant que les minutes passaient sans la présence de ses amis, Dan prit de plus en plus conscience du fait qu'il était le seul étudiant qui mangeait en solo. Il en avait l'habitude de le faire au lycée, mais ici, il se sentait nu sans ami et avait l'impression d'attirer les regards.

Il aperçut enfin Jordan, qui avait bien mauvaise mine ; il semblait se sentir encore plus mal que Dan, ce qui n'était pas peu dire.

— Hé, dit Jordan, qui s'affaissa sur une chaise comme une masse.

De gros et vilains cernes bordaient ses yeux derrière ses lunettes.

— Ça va? Tu as l'air un peu fatigué…

— Je vais bien, trancha Jordan d'un ton qui semblait dire tout le contraire.

Dan jeta un autre coup d'œil vers les portes, se disant qu'Abby saurait rendre cette situation meilleure.

— Elle arrivera quand elle arrivera, dit Jordan. Tu ne peux même pas patienter une seconde de plus avant de la voir?

Il mordit dans son muffin anglais comme si celui-ci l'avait insulté de façon personnelle.

«Quel est son fichu problème?»

— Est-ce que ça va, Jordan? osa demander Dan, même s'il savait que Jordan pourrait s'en prendre de nouveau à lui.

— Je vais *bien*. Bon sang, qu'est-ce que c'est, l'Inquisition? Tu es au service de mon père ou quoi?

Le muffin anglais connaissait une mort pénible sous l'empoigne plus dure de Jordan. Un morceau se brisa pour atterrir dans son bol de céréales Cap'n Crunch. Jordan l'en repêcha de ses doigts aux ongles rongés.

Les deux comparses entreprirent un jeu inconfortable où chacun essayait de regarder partout sauf vers l'autre. Étant donné ses options (se faire engueuler ou river le regard à ses céréales), Dan choisit les céréales. Était-il possible que Jordan soit encore en colère en raison de ce qui s'était passé la veille?

Cinq minutes avant la fermeture de la salle à manger, Abby fit enfin son apparition. Elle se précipita vers la file des fruits et du muesli pour se servir une banane et un bol de yaourt. Sa bonne humeur usuelle avait disparu. Ses paupières étaient lourdes, et son joli teint olive était terreux.

Elle s'assit en leur adressant une salutation rapide et commença à manger sans dire un mot de plus.

— Salut, dit Jordan. As-tu attrapé un virus ? Tu as l'air terrible.

— De quoi parles-tu ? répondit Abby avec un regard noir.

— Rien. Je disais seulement que tu avais l'air *radieux*. Nouveau maquillage ?

— Ouais, parce que le sarcasme est exactement ce dont j'ai besoin en ce moment.

Dan tenta d'alléger l'atmosphère.

— On dirait bien que quelqu'un s'est levé du mauvais côté de sa civière.

Il souhaita tout de suite s'être fermé la gueule.

Abby lui lança un regard éclatant de colère. Elle laissa sa cuillère tomber dans le bol, éclaboussant son plateau de yaourt.

— En fait, Dan, il y avait un sujet *important* dont je voulais vous parler, mais je suppose que ça attendra.

Sur ces mots, elle ramassa son plateau et quitta la table.

— Félicitations, dit Jordan. C'est peut-être la relation la plus brève de l'histoire de l'univers.

Jordan termina son muffin anglais mutilé.

— En fait, puisque vous n'étiez pas encore un couple en théorie, je crois que nous aurons droit à l'une de ces fins charmantes où le héros meurt par la punition du silence. Quel dommage !

— Que diable…? Mais qu'est-ce que je vous ai fait pour que vous vous mettiez en colère comme ça ?

Mais Jordan était déjà en route vers la sortie, si bien que Dan lança la question à un dos qui s'éloignait.

L'humeur de Dan s'obscurcit en classe quand le professeur présenta un documentaire qu'il avait déjà visionné ; il resta assis pendant deux heures dans le noir, distrait, sans qu'un mot du film puisse pénétrer son cerveau occupé à rejouer la scène du petit-déjeuner. Peut-être était-ce injuste qu'il s'attende à ce qu'Abby soit toujours pimpante et joyeuse chaque heure du jour. Tout le monde pouvait avoir une mauvaise journée. Elle avait peut-être reçu un autre texto déchirant de sa sœur. Peu importait la cause, Dan décida qu'il serait idiot d'y accorder trop d'importance. Abby finirait par lui dire ce qui n'allait pas quand elle serait prête, et il lui accorderait son écoute le moment venu. Il ne laisserait pas un petit-déjeuner désagréable gâcher leur relation.

Une fois armé de ce plan raisonnable, Dan se sentit de meilleure humeur sur le chemin du retour vers Brookline. Comme ni Jordan ni Abby n'avaient parlé de se réunir pour le déjeuner, il décida de tenter d'étudier un peu. Les nerfs en boule, il se dit qu'il pourrait aussi respecter sa promesse à lui-même d'aller visiter Sal Weathers. Il aurait tout le temps voulu de le faire s'il se dépêchait.

Félix était dans la chambre quand Dan y entra. Comme toujours, il était penché sur son ordinateur. De façon incroyable, il semblait être occupé à naviguer sur un forum quelconque sur la musculation, et Dan remarqua que son compagnon de chambre aspirait par une paille un liquide dont l'emballage comportait les mots «Jus de muscles». À en juger par l'image du type costaud et huilé sur la bouteille, cela devait être une boisson frappée protéinée et préemballée. Ce n'était pas le déjeuner typique de Félix, mais dans les faits, Dan connaissait le mec depuis une semaine seulement. Malgré tout, il songea que Félix paraissait plus bâti qu'à son arrivée ici. Ses épaules semblaient plus larges. Peut-être que les boissons protéinées fonctionnaient, après tout.

— Salut, dit Dan qui se dirigea droit vers son bureau.

— Allô, Dan.

Félix vida le contenu de sa bouteille de plastique, qu'il écrasa dans sa main et jeta par-dessus son épaule. Sous le regard ébahi de Dan, elle atterrit pile dans la poubelle derrière lui.

— Beau lancer, dit Dan, qui tenta de camoufler son étonnement.

Une enveloppe blanche immaculée attendait sur le clavier du portable de Dan. Son cœur battit plus vite. Était-ce de la part d'Abby ? Il se dit alors qu'il s'agissait peut-être d'une lettre d'excuses ou d'une invitation à la rencontrer quelque part pour bavarder.

— As-tu vu qui a apporté cette enveloppe ? demanda Dan en l'ouvrant.

— Non, elle était là à mon arrivée. J'ai présumé que tu l'avais posée là avant d'aller prendre ton petit-déjeuner.

— Merde. J'ai dû oublier de verrouiller la porte ce matin, fit Dan.

C'était là une habitude difficile à prendre. Pourtant, il aurait juré l'avoir verrouillée en partant ce matin-là.

— C'est troublant, répondit Félix sans quitter des yeux son écran. Fais attention et assure-toi que ça ne se reproduise pas, je t'en prie.

— Désolé, mon vieux. Je vais faire attention.

À l'intérieur de l'enveloppe, Dan trouva une simple carte faite d'un papier épais. Sur celle-ci était inscrite une seule ligne dans une écriture en pattes de mouche, une simple question…

Q : Comment tuer une hydre ?

C'était une question… perturbante. Dan retourna la carte.

R : En la frappant au cœur.

Quelle blague de mauvais goût était-ce là?

Dan regarda Félix, qui ne s'était pas retourné et qui n'avait pas bougé.

— Es-tu certain de ne pas avoir vu qui a laissé cette enveloppe ici? demanda Dan.

— Certain. Elle n'est pas signée?

— Non, elle n'est pas signée.

Dan montra la carte à Félix, mais trop brièvement pour lui permettre de la lire.

— Hum. C'est étrange. Reconnais-tu l'écriture?

Félix continua de naviguer sur la page qu'il consultait à l'ordinateur. La roue de sa souris cliquetait quand il la tournait.

— Non, ça ressemble à de la calligraphie. Personne n'écrit comme ça, de nos jours...

— Sauf les calligraphes.

— Tu en connais, des calligraphes? lança Dan en perdant patience.

Félix se retourna enfin. Il réfléchit quelques secondes avant de prendre calmement la parole.

— Pas dans ce programme, non. J'ai un ami à l'école qui est plutôt doué pour ça, par contre.

— Ça ne m'aide pas.

Dans un soupir, Dan se laissa tomber sur sa chaise et la fit pivoter avant de lancer:

— Désolé. J'ai une mauvaise journée.

— Je comprends, et j'espère que tu découvriras l'identité de ton correspondant mystérieux.

Dan s'affaissa davantage sur sa chaise et retourna la carte dans tous les sens pour étudier l'écriture et tenter de trouver un indice quelconque dans les mots. «Hydre», se dit-il. Il devait y avoir au moins 50 jeunes dans le cours du professeur Douglas qui avaient entendu le surnom astucieux dont celui-ci avait affublé le trio la veille. Dan n'avait aucun moyen d'établir l'identité du correspondant.

Et si c'était Joe, le surveillant de couloir qui les avait surpris dans l'ancienne aile de l'édifice, qui avait posé la carte sur son bureau? C'était une hypothèse bizarrement logique. Joe voudrait empêcher les comparses de mettre de nouveau le nez là-bas en soirée, et la note avait un ton menaçant qui donnait la chair de poule — un ton parfait pour amener Dan à y réfléchir à deux fois avant de répéter le même geste. À titre de surveillant, Joe disposait aussi d'un passe-partout pour entrer dans les chambres. C'était un autre élément de preuve, puisque Dan était *convaincu* d'avoir verrouillé la porte de la chambre ce matin-là.

Les nœuds dans l'estomac de Dan se desserrèrent. Conclure que Joe était l'auteur de la note rendait toute l'affaire explicable, à tout le moins, et peut-être même un peu comique. «Ha, ha, Joe. Tu m'as bien eu.»

Cependant, Dan n'était pas tout à fait convaincu que c'était Joe. Il prit la décision d'apporter la carte au dîner. Si Jordan et Abby avaient aussi reçu des notes, ils pourraient élucider le mystère ensemble.

Dan sut alors que d'ici là, il ne parviendrait pas à étudier. Et si c'était même possible, la carte ne venait que renforcer sa détermination à faire la rencontre de Sal Weathers. Comme il ne lui restait plus assez de temps à sa pause du midi pour se rendre au village et en revenir, il décida de sécher son cours. Il renfila son pull molletonné, trouva l'adresse de Sal sur son téléphone, empoigna son sac à dos et fila par la porte.

C'était bon de sortir de la résidence. L'atmosphère y était toujours si lourde.

Le temps semblait être sur la même longueur d'onde que lui : il était nuageux et frais en plein mois de juin. La pluie semblait imminente. Dan marcha d'un pas rapide, la tête basse, sur le sentier qui partait de la résidence pour atteindre les bâtiments académiques du campus, puis se poursuivre au-delà. Le sentier pavé s'inclina pour emprunter une courbe large sur une colline. En comparaison avec l'agitation du campus, le village de Camford paraissait toujours petit et tranquille. Ce jour-là, les rues étaient pratiquement vides ; seule une camionnette passa en vitesse tandis que Dan descendait la colline.

Trois pâtés de maisons, un marchand de beignets et un garage plus loin, Dan parvint à destination. Il se blottit davantage sous son pull et posa les yeux sur une maison de briques mansardée, située en retrait de la route. Il s'immobilisa et jeta un regard par-dessus son épaule, au-delà de la cime des arbres. D'où il était, il décelait à peine le sommet du clocher de l'église, de même que la Place Wilfurd et le toit de Brookline, qui se trouvaient derrière.

Il pêcha un calepin et un crayon de son sac à dos et s'interrogea sur la meilleure façon de se présenter.

Une croix en osier simple était suspendue à la fenêtre de la porte d'entrée. Dan cogna, soudain enroué par la nervosité, et il songea immédiatement que c'était une erreur de venir.

D'accord, Sal paraissait bavard dans son site Web, mais serait-il aussi expansif en personne? Il faudrait que Dan exprime son intérêt d'une façon qui lui permettrait d'obtenir les informations dont il avait besoin.

Un visage tavelé et taillé à la serpe apparut à la fenêtre, derrière la croix, et la seconde d'après, la porte s'ouvrit brusquement. L'odeur de bougies à la cannelle fonça vers les narines de Dan.

— Que vends-tu?

— Ce que je vends? Oh! Non, je ne vends rien… Je vais au collège, expliqua Dan, qui gesticula maladroitement par-dessus son épaule en direction de la colline. J'allais vous envoyer un courriel, mais… Je suis désolé, je sais que tout ça peut paraître étrange, mais j'ai trouvé votre site Web. Celui au sujet de Brookline? Je travaille sur un projet à propos de Brookline, et vous semblez être l'expert local, donc…

Sal le fixa et essaya manifestement de décider si Dan était fou, s'il plaisantait ou si c'était un mélange des deux.

— Entre, marmonna-t-il avant de disparaître dans un vestibule sombre.

Une lampe s'alluma et illumina un support à chaussures rempli presque exclusivement de bottes de travail et de pantoufles de dame.

— Donc, tu as trouvé mon petit rapport sur Internet, n'est-ce pas? Bien. C'est bien. Plus de gens devraient être au courant. Mais il faut que je te dise, le jeune, que je n'aime pas beaucoup en parler. Personne ici n'aime en parler. J'ai dit ce que j'avais à dire avec cette page en ligne, et maintenant, le seul cas où je veux en parler, c'est pour faire démolir ce fichu endroit. Bien sûr, une salope au collège s'y oppose. Elle dit qu'il est *historique*!

— Je pense que vous faites référence à la professeure Reyes, dit Dan d'un ton qui en disait long. En fait, elle a l'intention de diriger un séminaire dans la résidence, puis de…

— Une *résidence*? Tu me dis qu'ils hébergent des enfants là-dedans, maintenant? Quelle *farce*!

D'un pas traînant, Sal se dirigea vers la cuisine, et Dan le suivit. Il eut l'impression qu'il allait repartir de là avec un calepin vide.

— Voici ma femme, dit Sal. Ne t'occupe pas de nous, ma chérie. Ce jeune homme vient du collège, mais il ne restera pas ici très longtemps.

La cuisine était exigüe, meublée d'armoires stratifiées et de carreaux mauves. Dan fit un signe de tête, timide.

— Bonjour, dit-il pour saluer la femme de Sal.

Elle avait les traits tirés et les joues creuses, mais Dan pouvait distinguer en elle l'ombre d'une belle femme qui s'était fanée et fragilisée. Sa chevelure épaisse était ramassée en un chignon sur sa nuque, et une lourde frange couvrait son front. Elle semblait fixer le vide, les mains posées légèrement sur le dessus de l'îlot de cuisine au milieu de la pièce.

Sal fouilla sur l'îlot jusqu'à ce qu'il trouve une tasse de café. Il en vérifia le contenu, puis en prit une grosse gorgée. Quand il releva les yeux pour découvrir que Dan était toujours là, une expression résignée se dessina sur son visage. Il s'approcha jusqu'à se tenir à deux doigts du visage de Dan.

— Très bien, le jeune, dit-il d'une voix qui allait à peine au-delà du murmure. Tu as droit à une question. Que veux-tu tant savoir?

Dan savait à peine par où commencer. Il tenta de réunir ses idées en une seule question.

Enfin, dans l'espoir que cette seule question déboucherait sur plusieurs réponses, il prit la parole et dit :

— Je voulais seulement en savoir plus au sujet de Dennis Heimline.

Il sut sur-le-champ qu'il avait dit la mauvaise chose. Sal grimaça, et derrière lui, sa femme cessa de fixer la chose quelconque qui captait son intérêt au-dessus de l'épaule de Dan pour le regarder droit dans les yeux.

— Je, euh… continua Dan d'un ton maladroit. J'étais curieux à propos du lien qui existe entre le dernier directeur et Dennis Heimline, le Sculpteur…

— Quel est ton nom, déjà ? dit Sal en l'interrompant avant de poser bruyamment sa tasse sur le comptoir.

— J-je ne vous l-l'ai pas dit, bégaya Dan en reculant. C'est Dan. Dan Crawford.

Le nom eut l'effet d'une bombe. Soudain, la femme de Sal se mit à hurler. Elle se jeta sur le comptoir de l'îlot et envoya une tasse et une pile d'assiettes se fracasser sur le sol. Dan bondit vers l'arrière, mais Sal fondit sur lui, son vieux visage coupé à la serpe taché de plaques rouges.

— Quelle foutue mauvaise blague essaies-tu de me jouer ? Ma femme est malade, et tu viens ici, comme ça ? Vous, les fichus collégiens, vous vous croyez tous si intelligents, si rusés, hein ? Tu n'es pas si rusé aujourd'hui. Sors d'ici ! *Sors d'ici !*

Dan ne se donna pas la peine de se retourner et partit de là aussi vite qu'il le put tout en évitant de se prendre les pieds dans le support à chaussures et la porte. Le cri strident de la femme le suivit jusqu'au seuil. Puis, Sal surgit à la porte en lui criant toujours de ficher le camp, comme si ce n'était pas exactement ce que Dan était en train de faire.

Dan courut jusqu'à ce qu'il atteigne la colline et le sentier serpentant jusqu'au collège. Qu'est-ce qui venait de lui arriver? Qu'avait-il dit? Pourquoi Dennis Heimline était-il un sujet aussi délicat quand Sal en personne avait écrit sur le type?

Quand Dan arriva dans sa chambre, Félix était parti. Un message sur son tableau blanc annonçait simplement : «Parti au gymnase 1600». Dan roula des yeux. «Une autre excentricité signée Félix[MC]», se dit-il.

Il ôta son sac à dos à coups d'épaules et se jeta sur le lit. Malheureux, il se roula sur le dos et enfouit son visage dans un oreiller. Il avait séché un cours. Et pourquoi? Il n'était pas plus près de comprendre le lien entre le directeur, le Sculpteur, Brookline et lui qu'il ne l'avait été en début de journée. Et à présent, il pouvait ajouter le visage horrifié de la femme de Sal à la liste des éléments qui le hantaient. Sans parler de ses cris…

Dan grogna dans l'oreiller. Il devait laisser tomber; sans cela, il deviendrait fou sans raison. Sal n'était rien de plus qu'un vieux dingue qui détestait le collège et tout ce qui était associé à Brookline. Il devait avoir grandi à Camford, jaloux des jeunes qui pouvaient se permettre une éducation supérieure. N'accolait-on pas une étiquette à ce phénomène? Les villageois contre les citadins? Ce n'était pas sa faute.

Dehors, il avait commencé à pleuvoir, ce qui rendrait le déplacement vers la salle à manger un peu moins plaisant. Mais après l'après-midi qu'il venait de vivre, Dan avait soif de compagnie amicale, et il était déjà 16 h 45; il y aurait donc bientôt des gens dans la salle à manger. Il empoigna la carte de la devinette sur l'hydre et se dirigea vers l'escalier. Quand il passa le couloir menant à l'ancienne aile, il éprouva la tentation soudaine de s'y engager, mais il poursuivit sa route jusqu'aux portes d'entrée en secouant la peur qui semblait grimper le long de son épine dorsale.

Dan releva le capuchon de son pull molletonné et courut dans l'averse jusqu'à la Place Wilfurd. Il se secoua à l'entrée, puis il suivit la file d'étudiants qui se formait à l'intérieur de la cafétéria.

Au menu ce soir-là, il y avait du macaroni au fromage. Dan se dit que cela aurait pu être pire. Dan ramassa un plateau tandis que ses yeux survolaient des visages plus ou moins familiers à la recherche de ses amis. Il vit Yi entrer et envoyer la main à un petit groupe de garçons assis de l'autre côté de la salle avant de se mettre en file derrière lui.

— Comment ça va ? demanda Yi, qui pianotait sur le plateau bleu pastel.

— Bah, tu sais, je suis la routine habituelle. L'étude. Les cours.

« Les messages de menace, les psychopathes », ajouta-t-il en silence avant de conclure en disant :

— Ça va super bien.

Yi tira un bout de papier de la poche de son pantalon cargo et le tendit à Dan. « Oh, mon Dieu. Est-ce que Yi a reçu un message étrange, lui aussi ? » Cependant, quand il déplia le papier, Dan constata qu'il s'agissait d'un profil imprimé à partir d'un site de rencontres. C'était le profil d'une fille du nom de Chloe_Chloe13. Elle aimait le ski et le film *Le Fabuleux Destin d'Amélie Poulain*.

— Je vais étudier à l'étranger à l'automne. J'ai obtenu une bourse pour le Conservatoire de Paris…

Dan lui remit le papier et observa Yin sourire d'un air rêveur.

— Dans quelques mois, je nagerai dans un océan de femmes étrangères séduisantes.

Dan toussa.

— Ouaaiiis, j'aurais pu mieux formuler cette phrase.

Yi rangea Chloe_Chloe13 dans sa poche. La file avança.

— Comment ça se passe du côté d'Abby ?

— Hum ?

Ils avancèrent de biais le long du buffet. Dan empila des macaronis dans son assiette chaude.

— Comment sais-tu que...?

— Jordan a mentionné que vous aviez eu un rencard, en quelque sorte. Comment ça s'est passé ?

De façon surprenante, Yi passa devant le macaroni au fromage pour se diriger vers le choix végétalien, un truc aux lentilles et aux morceaux de légumes non identifiables.

— Ça va bien avec Abby ! croassa Dan avec peine.

Pour être honnête, il ne savait plus trop quoi en penser à la lumière du comportement d'Abby ce matin-là.

— Et je suppose que c'était bien un rencard. Nous sommes allés dîner au restaurant Brewster's, et nous avons passé du temps ensemble... C'était bien.

Dan enfonça de nouveau la grosse louche en métal dans le plat de macaroni pour se servir une autre portion.

— Foutaises. Vous avez couché ensemble ?

Dan lâcha la louche, qui tomba en fracas contre le bord du buffet. Il la rattrapa, non pas sans être éclaboussé d'amas de similifromage.

— Merde, c'est chaud !

Aidé de son coude et de sa hanche, il repoussa la louche dans le plat et tenta d'essuyer le fromage orange fluo de son avant-bras.

Yi gloussa et s'avança dans la file.

— Je prendrai ça comme une réponse négative.

En poussant un juron, Dan empoigna un petit pain d'une pile et se dirigea vers sa table habituelle. Il s'affaissa sur la chaise la plus près de la fenêtre et rumina au-dessus de son assiette fumante. Le temps qu'il avait passé avec Abby la veille était privé, et non quelque chose dont il voulait parler avec désinvolture dans la file d'attente de la cafétéria. Peut-être qu'il se sentait uniquement comme cela parce qu'il ne savait pas à quoi s'en tenir et qu'il ne voulait pas gâcher ses chances par la vantardise. Il frotta les marques rouges sur sa peau. Elles continuaient de le faire souffrir.

— Salut.

C'était Abby. Ses cheveux formaient un désordre humide, et ses yeux étaient rouges. Elle posa son plateau sur la table et s'assit lentement, comme si elle remuait dans l'eau.

— Salut, dit Dan, qui oublia sa brûlure.

— Je peux m'asseoir? Bon, je suis déjà assise, mais…

Elle soupira, les yeux rivés à sa soupe.

— Ça t'ennuie que je m'assoie?

— Non, pas du tout, dit Dan. J'espérais que tu viendrais.

— Ouais?

Abby sourit et posa les coudes sur la table.

— Merci. Je… Je me suis montrée plutôt horrible au petit-déjeuner. Mais j'ai une bonne raison, je te le promets. Je… Je n'agirais pas comme ça pour *rien*.

— Même si c'était le cas, répondit-il, tout le monde a le droit d'avoir une mauvaise journée.

D'un signe de tête, il pointa vers la fenêtre derrière eux, la pluie tombait en pans bruyants contre la vitre.

— Tu vois? Même le temps n'est pas dans son assiette.

— Non, j'aime quand il pleut, dit-elle. C'est relaxant. Rafraîchissant.

Abby regarda par la fenêtre. Des flaques se formaient dans les petites dépressions sur le gazon et les sentiers, et le brouillard s'élevait en trombe, si bien qu'il était impossible de distinguer la pluie de la brume.

— J'avais besoin d'un peu de pluie.

Dan sourit. Déjà, Abby l'aidait à se sentir mieux. Il décida d'attendre l'arrivée de Jordan pour parler du mot, donc Abby et lui mangèrent dans un silence complice jusqu'à ce que ce dernier surgisse dans la salle à manger. Après un passage rapide dans la file, il s'assit à la table avec rien de plus qu'une tasse de café et une pointe de tarte à la crème pâtissière. Il ne les salua même pas. La pluie et son café fumant avaient embué ses lunettes.

Dan fut incapable de patienter plus longtemps.

— J'ai reçu un mot, lâcha-t-il soudain, ce qui fit sursauter Abby et Jordan.

Il enfonça la main dans sa poche arrière pour en extirper la carte qu'il laissa tomber sur la table entre eux. Jordan la recueillit.

— «Comment tuer une hydre?» Que diable?

— Retourne-la.

Jordan lut le verso avec une expression où se mêlaient la confusion et le dégoût.

— Qu'est-ce que c'est? D'où ça vient?

Jordan repoussa la carte avec une grimace, et Abby la ramassa.

— Elle était sur mon bureau quand je suis revenu de mon cours. Félix n'a pas vu qui l'a laissée là, mais quelqu'un est parvenu à entrer dans la chambre même si je suis persuadé d'avoir verrouillé la porte. Vous n'avez rien reçu de semblable?

Ils secouèrent la tête tous les deux. Dan en fut consterné. Jusqu'alors, il ne s'était pas rendu compte à quel point il misait sur l'hypothèse de la mauvaise blague. Il se frotta les tempes et reprit la parole.

— Je pense que ça vient de Joe. J'ignore qui d'autre aurait pu laisser une note comme ça ou même entrer dans la chambre. Mais j'étais certain qu'il vous avait laissé des notes aussi, fit Dan tout en poussant son macaroni en une petite colline dans son assiette. Je n'aime pas me sentir ciblé.

— Alors, qu'allons-nous faire? demanda Abby, qui lui redonna la carte.

Dan haussa les épaules. Il savait qu'il serait impossible pour lui d'expliquer à quiconque pourquoi cet incident l'ennuyait tant. Il n'était pas certain de bien le comprendre lui-même.

— Ignore le mot, dit Jordan. Joe essaie de te mettre en boule, c'est tout. C'est ce que les intimidateurs font. Crois-moi, je le sais. Il vaut mieux que tu restes indifférent.

Ils gardèrent le silence un moment avant qu'Abby parle à son tour.

— Il y a autre chose. Ton mot, il est important et tout, mais j'avais aussi quelque chose à vous dire. C'est de ça que j'allais vous parler au petit-déjeuner avant de… eh bien, avant de me mettre en colère.

Elle marqua une pause avant d'ajouter en se tordant les mains :

— Je ne sais pas trop comment le dire. Donc, je vais faire ça simple. La simplicité vaut mieux, même s'il n'y a rien de simple dans cette histoire.

Tandis qu'elle parlait, Dan remarqua que toute sa posture changeait. Ses épaules s'affaissèrent, et ses yeux perdirent leur éclat.

Elle prit une profonde inspiration.

— Ma tante. La sœur de mon père. Elle était une patiente ici.

Le silence s'installa, et Dan et Jordan échangèrent un regard.

— Hum… Comment le sais-tu ? demanda Dan.

— Tenez, regardez ce que j'ai trouvé hier soir.

Abby tira une fiche de la poche de son imperméable. Elle venait du classeur dans le bureau du directeur, et elle ressemblait en tout point à celle de Dennis Heimline. Ainsi, Abby était aussi repartie avec quelque chose.

De ses mains tremblantes, Abby retourna la fiche afin que Jordan et Dan puissent la lire. Il n'y avait que quatre lignes, dactylographiées.

Valdez, Lucy Abigail.
Naissance : 15-07-1960
DDA : 12-02-1968
Guéri : N

CHAPITRE
N° 16

Pendant un moment, Dan n'y comprit rien. Les mots n'avaient aucun sens. Puis, progressivement, ils devinrent clairs.

«Lucy. Abigail. Valdez.»

Abby Valdez.

— C'est un nom de famille assez commun, dit enfin Dan en balbutiant un peu. N'est-ce pas?

Il regarda Abby droit dans les yeux.

— *N'est-ce pas?*

Elle secoua la tête et serra les lèvres avec force.

— C'est ma tante. Tante Lucy. J'ai été nommée en son honneur.

— Allons, Abby, dit Jordan. Ce n'est pas ta tante; c'est tout simplement impossible.

Dan se carra dans sa chaise, silencieux, dans l'attente d'une explication raisonnable. Si une telle chose existait.

— Je crains bien que ce *soit* possible.

Une bourrasque percuta la fenêtre et fit trembler la vitre. La pluie cogna contre la fenêtre comme une douche de petites pierres. Abby regarda par la fenêtre avant de ramener ses yeux vers ses deux amis. Elle tentait manifestement de refouler ses larmes.

— Mes grands-parents étaient très stricts envers mon père quand il était jeune. Lucy ne s'est jamais entendue avec eux, même quand elle était toute petite. Elle n'écoutait pas, répondait insolemment, criait, brisait des objets — ce genre de trucs. Un jour, ils ont eu une grosse dispute. Mon père ignore de quoi ça retournait, car il n'avait que cinq ans, mais il se rappelle que Lucy s'est précipitée dehors en claquant la porte derrière elle. Cette nuit-là, il s'est réveillé en raison d'un cauchemar, et Lucy n'était pas dans son lit. Elle avait sept ans, et elle était partie. Elle avait disparu. Mes grands-parents ont continué d'agir comme si tout était normal, et quand mon père posait des questions, ils se mettaient en colère noire et lui disaient qu'il n'avait plus le droit de prononcer son nom.

Dan était complètement perdu. L'histoire concordait, mais quelle était la probabilité d'une telle chose?

— Peut-être que c'est une coïncidence, le nom? dit-il sans le croire lui-même.

Il voulait tant le croire.

— Une coïncidence, c'est toi et moi qui choisissons la même tarte pour le dessert, dit Jordan, qui pointa la fiche de patient de sa tasse de café. Ce qu'*Abby* laisse entendre, c'est carrément étrange.

— Quoi? Tu ne me crois pas? dit Abby.

Son ton donna d'abord l'impression qu'elle plaisantait et attendait que Jordan la contredise. Mais il n'en fit rien.

— C'est bien ça, n'est-ce pas? Tu ne me crois pas.

— Peux-tu m'en vouloir? Enfin, quelles sont les chances que tu te retrouves ici cet été, là où ta tante a déjà été une patiente en *psychiatrie*? fit Jordan en se calant sur sa chaise, les bras croisés. Je crois que tu négliges de nous dire un détail… ou que tu ne nous dis pas la vérité.

Dan remarqua que les épaules d'Abby avaient commencé à trembler tandis qu'elle essayait, sans réussir, de contrôler sa respiration. Il était trop tard pour intervenir, et de toute façon, il n'arrivait pas à trouver le moindre fichu mot à dire. Jordan marquait un point sur l'impossibilité de cette coïncidence, mais Abby n'était pas du genre à se moquer d'eux pour le plaisir. «Qu'en sais-tu?» chuchota une petite voix dans son esprit. À quel point la connaissait-il vraiment, après tout? Son humeur des dernières 24 heures avait certainement été imprévisible. Il freina ses pensées. Elle n'aurait pas fait une blague sur un tel sujet. Impossible...

— Très bien, dit enfin Abby en reprenant ses esprits. Je n'allais pas en parler, mais je suppose que nous avons dépassé cette limite, maintenant.

Dan échangea un regard nerveux avec Jordan.

Abby ramassa sa cuillère et la glissa lentement dans son bol avant de commencer à parler.

— Quand j'étais petite, j'avais l'habitude de fouiller dans les vêtements de ma mère pour trouver des chapeaux, des jupes, des foulards et d'autres trucs pour m'amuser à me déguiser. Mon père et elle partageaient les mêmes commodes, et un jour, j'ai trouvé... une boîte.

Elle inspira profondément avant de poursuivre son récit.

— Je ne savais pas de quoi il retournait, mais quand je l'ai ouverte, j'ai découvert une pile de papiers. Je... j'ai commencé à les lire. C'étaient des lettres. Écrites par mon grand-papa. Il était déjà mort alors, et mon père ne parlait jamais de lui sauf pour dire qu'il était un homme méchant. Mais ces lettres... Grand-papa ne cessait de présenter ses excuses. Il n'arrêtait pas d'écrire qu'il était désolé d'avoir envoyé sa petite Lucy en pension. En pension dans *ce lieu*.

— Et laisse-moi deviner : ce lieu, c'était Brookline, dit Jordan d'un ton froid.

Manifestement, il n'était pas encore convaincu.

— Quel autre endroit ça pouvait être? répondit Abby rapidement. Les lettres contenaient des trucs sur le fait qu'elle était dangereuse et qu'il n'avait eu d'autre choix que de l'envoyer là pour son propre bien. Mais il y a plus… Grand-papa parlait constamment de «faire un voyage au New Hampshire». Il n'a jamais mentionné le nom de Brookline, mais…

— Mais je peux comprendre comment tu es parvenue à cette conclusion, conclut Dan pour essayer de lui témoigner un peu de soutien.

Elle opina de la tête.

— Tout concorde. Écoutez, je ne pensais pas que c'était possible non plus. Une partie de moi a toujours cru que j'imaginais des choses ou que je les avais complètement mal interprétées. Après cette première fois, mon père a découvert que j'avais lu les lettres et les a changées de place. Mais je n'ai jamais oublié cet épisode. Et quand j'ai reçu la lettre au sujet de ce programme, eh bien, j'ai pensé que le fait que le collège se trouvait au New Hampshire était un signe.

— Un signe que cette histoire est parfaitement *ridicule*, protesta Jordan, qui s'affaissa davantage sur son siège. Je veux dire, tu as cru que tu allais travailler sur tes aptitudes artistiques *et* retrouver ta tante disparue depuis longtemps en même temps? Faire d'une pierre deux coups?

Abby eut un air horrifié.

— Jordan… fit Dan d'un ton d'avertissement.

Cependant, Jordan continua de foncer droit au but et gesticula d'abord à l'intention de Dan, puis d'Abby.

— Laissez-moi deviner: vous avez inventé cette histoire tous les deux en pensant vous amuser à mes dépens sans trop de malice. Eh bien, ha, ha. Très drôle. Je ne marche pas, d'accord ? Je ne suis pas *si* crédule.

— Jordan, pourquoi inventerais-je une telle chose ? C'est trop écœurant…

Jordan haussa les épaules.

— Qui sait ? Pour avoir de l'attention ? Pour t'amuser ? À toi de choisir.

— Mon Dieu, tu peux être un tel enfoiré, parfois !

Elle serra la mâchoire et dévisagea Jordan comme si elle ne l'avait jamais vu véritablement auparavant.

— Calmons-nous tous et réfléchissons une minute, dit Dan, qui détestait être témoin de la colère entre ses deux amis. Premièrement, Jordan, il faut que je te demande une chose : crois-tu réellement que je me suis écrit cette note ? Pour avoir de l'attention ?

Jordan soupira.

— Je ne sais plus, mon vieux. Toi. Abby. Je ne sais pas ce qui se passe. J'ai l'impression que vous essayez de faire en sorte que j'aie l'air stupide. Comme si vous vous liguiez contre moi.

— D'accord. Et toi, Abby, crois-tu qu'il y a la *moindre* chance qu'il s'agisse d'une autre Lucy Valdez ? demanda-t-il.

— Non, répondit-elle d'une voix ferme. Je sais que c'est elle, et je parie qu'il y a d'autres preuves de ce qu'ils lui ont fait subir quelque part dans cette ancienne aile.

Jordan grogna de mépris.

Soudain, Abby martela la table du poing. Les deux garçons sursautèrent sur leurs chaises. L'assiette de Dan trembla, et la colline de macaronis s'éboula.

— Qu'est-ce que ça te prendrait pour *me* croire ?

Jordan ne dit rien.

— Je te crois, dit Dan dans un murmure apaisant.

— Bien sûr, Peeta Mellark ici présent te croit, lança Jordan. Par ailleurs, saviez-vous que la pluie était mouillée ? dit Jordan. Quelle fichue surprise que tu la croies !

Il prit son café et sa tarte et quitta la table sans dire un mot de plus. Le son de la pluie et les bruits dans la salle à manger montèrent d'un cran pour combler le silence laissé par le départ coléreux de Jordan.

— Ça va ? demanda Dan.

— Tu irais bien, toi, en de pareilles circonstances ?

— Non. Non, je suppose que non.

— Alors, tu as ta réponse.

Elle avala une bonne cuillérée de soupe minestrone.

— Beurk. C'est froid.

Dan chercha désespérément quelque chose d'utile à dire. Il ne pensait à rien d'autre qu'au fait que si Abby était capable de garder un tel secret, elle pouvait très bien ne pas avoir partagé plusieurs autres choses. En fait, à ce propos, il n'était pas non plus innocent.

— Veux-tu savoir un truc à propos de Jordan ? dit Dan. Je pense qu'il est encore vexé au sujet de cette histoire de ren-card. Il s'inquiète probablement que nous ne puissions pas former un duo et un trio en même temps. Tu vois ce que je veux dire ?

— Hum ? Quoi ? Un duo ? demanda Abby, les sourcils froncés et les yeux fixés vers une distance pas si lointaine. Oh, d'accord. Ouais, peut-être. Peut-être que c'est ça.

Dan ne voulait pas se sentir visé personnellement par sa réponse, étant donné la dispute qu'elle venait d'avoir avec Jordan, mais elle était soudain devenue très froide à la mention du mot «rencard». Tout semblait échapper à son contrôle. Ses nouveaux meilleurs amis se refermaient rapidement, que ce soit envers lui et entre eux. Il fallait qu'il trouve des réponses et maintienne le groupe soudé, sans quoi ils redeviendraient des étrangers. Et alors, l'hydre serait *bel et bien* morte.

— Ne t'inquiète pas. Nous éluciderons tout cela, dit-il.

— Je sais que *je* vais le faire, répondit Abby froidement. Je vais retourner dans ce bureau, d'une manière ou d'une autre.

CHAPITRE
N° 17

Le lendemain matin, il fallait choisir de nouveaux cours, ce qui signifiait que Dan était déjà dans le programme depuis au moins une semaine complète. D'un côté, il ne pouvait croire qu'autant de temps s'était écoulé, mais de l'autre, il avait l'impression d'être là depuis beaucoup plus longtemps.

Dan avait l'intention d'attendre Abby et Jordan à l'édifice administratif pour voir s'ils voulaient suivre des cours ensemble, mais quand il arriva sur place, Abby circulait déjà d'une table à l'autre dans la section des arts. Elle lui adressa un salut rapide de la main avant de poursuivre sa tournée. Dan ressentit un pincement de rejet qu'il refoula.

— Bon, j'ai peut-être dépassé les bornes hier soir.

C'était Jordan. Il agrippa le bras de Dan pour le tirer vers la table des mathématiques théoriques.

— Tu as *peut-être* dépassé les bornes?

— Ouais, ouais, je sais que tu te ranges de son côté, commença Jordan, mais je te jure que je veille sur toi et sur moi. Entre toi et moi, j'ai déjà vu des filles comme Abby passer par une crise identitaire comme ça. Toute cette histoire sur sa «tante» va s'évanouir d'elle-même, tu verras.

— Ça ne ressemble pas tout à fait à des excuses, dit Dan.

De toute manière, qu'est-ce que Jordan entendait par «des filles comme Abby»?

— Très bien, dit Jordan en s'approchant de la table du professeur, où une feuille d'inscription attendait. Écoute, Abby est géniale, et je l'aime bien. Et si cette histoire à propos de sa tante est la vérité, honte à moi. C'est seulement que je ne peux pas m'investir dans les gros drames en ce moment. Je suis ici pour les mathématiques, pas pour une chasse aux fantômes de déments. J'aurais pu mieux gérer la situation, je te l'accorde. En tout cas, tout ce que j'essaie de dire, c'est que je suis désolé d'avoir agi en abruti hier soir. Et au sujet de cette note sur l'hydre, tu as probablement raison de dire que c'est Joe qui joue aux enfoirés.

— Il n'y a pas de mal, répondit Dan avec un haussement d'épaules.

— Tu en es certain?

— Certain.

— Très bien, alors.

Ils parvinrent à l'avant de la file, et Jordan inscrivit son nom sur la tablette à pince avec la fine écriture d'un véritable mathématicien.

— Je vais aller là-bas m'inscrire au cours de littérature allemande du XXe siècle, dit Dan.

Jordan s'enfonça un doigt dans la bouche et fit semblant d'avoir un haut-le-cœur avant de sourire et de prendre la direction opposée.

Ce ne fut qu'à la fin de l'avant-midi, une fois qu'il eut attendu dans plusieurs files pour s'inscrire à ses cours, que Dan reconnut la triste vérité : les membres du trio n'avaient pas choisi un seul cours en commun. Dan se fraya un chemin parmi les étudiants qui traînaient dehors, et il trouva enfin Abby, plongée dans une conversation avec des gens qu'il ne connaissait pas. Il attendit à l'écart jusqu'à ce qu'elle le remarque, puis, en envoyant la main à ses autres amis, elle vint vers lui et entreprit immédiatement de lui parler des cours qu'elle avait hâte de suivre : portrait avancé, impressionnisme et illustration de romans graphiques. Jordan les trouva enfin, et sa liste des cours était tout aussi aliénante : calcul de multivariables, analyse réelle et complexe... Dan pouvait résoudre des équations, mais ces cours allaient au-delà de la compréhension fondamentale des nombres. Il baissa les yeux sur son propre horaire : histoire, littérature et... encore plus d'histoire. Rien de tout cela ne concordait.

Tandis qu'ils bavardaient, Dan remarqua que même si leur conversation aurait pu paraître amicale à une oreille externe, Abby ne regarda pas une fois Jordan, et Jordan continua d'adresser ses blagues à l'intention de Dan. C'était difficile de le nier, à présent : en l'espace de quelques jours — quelques *heures*, en fait —, leur dynamique fluide avait complètement changé. Était-ce là toujours le résultat qu'on obtenait quand on se rapprochait des autres ?

× × × × × ×

Comme un nouvel horaire de cours était synonyme de nouvelle routine, Dan se déplaça d'un immeuble à l'autre, carte dans la poche, et apprit un nouveau rythme quotidien. Il voyait à peine Jordan et Abby. Ils ne déjeunaient même plus à la même heure. D'accord, ils se réunissaient toujours pour le dîner, mais leurs conversations étaient remplies de blagues d'initiés sur leurs cours et d'histoires qui ne signifiaient pas grand-chose pour ceux qui n'étaient pas là pour les vivre. Jordan avait affirmé avoir présenté des excuses à Abby, et le fait qu'ils pouvaient s'asseoir à la même table semblait en être la preuve. Toutefois, Abby paraissait distante et prenait bien soin d'éviter toute mention de sa tante. Dan se demanda si elle avait toujours l'intention de retourner au bureau du directeur. Personnellement, il n'avait pas le moindre désir d'y retourner.

Le vendredi soir, à son arrivée à la salle à manger, Dan trouva Jordan à leur table habituelle. Trois tablettes de feuilles de format légal étaient posées sur la table près de son plateau, chacune tapissée de ses gribouillis. Quand Dan se rapprocha, il vit que les gribouillis étaient composés de nombres et d'équations — le genre d'équations qui comportaient assez de lettres pour ressembler à des phrases. Jordan ne sembla pas remarquer Dan qui s'approchait; il demeura penché sur ses tablettes, les doigts remuant à la vitesse de l'éclair sur les pages.

— Des devoirs? demanda Dan, qui prit le siège devant Jordan.

Il ne se souvenait pas d'avoir vu Jordan travailler à l'extérieur de ses cours, encore moins un vendredi soir.

— On peut dire ça.

Jordan se gratta la tempe droite du bout de son stylo.

— L'un de mes enseignants a parlé de ce problème supposément impossible à résoudre. Mais le truc, c'est qu'il n'y a aucune preuve pour l'instant qui *démontre* qu'il est impossible à résoudre. Donc, j'essaie de trouver la preuve ou la solution, selon la première éventualité. Appelle ça un projet chouchou.

— Ou un TOC.

Dan cherchait à plaisanter, mais la tête de Jordan se releva brusquement, sa tignasse indisciplinée bondissant dans toutes les directions.

— Pardon?

— Rien, répondit Dan rapidement.

Jordan se repencha sur sa feuille.

Au beau milieu du dîner durant lequel Jordan préféra les nombres à la compagnie de Dan, Abby se présenta. Elle se dirigea vers le comptoir à salade et se servit un verre de jus d'orange, mais plutôt que de venir les rejoindre, elle emprunta un détour pour aller à une table avoisinante où de jeunes artistes se réunissaient. Dan les considérait comme de jeunes artistes parce qu'ils fumaient cigarette sur cigarette, s'habillaient comme des figurants sur Broadway et portaient des lunettes de grand-mère ironiques même si, dans les faits, seulement l'un des cinq devait avoir des problèmes de vision.

Jordan remarqua apparemment le détour d'Abby, lui aussi, même s'il avait le nez plongé dans les maths.

— Ils se croient si branchés, dit-il.

— Je ne savais pas qu'elle passait du temps avec eux, grimaça Dan.

Il parlait vraiment comme un stupide lycéen en tenant un discours d'opposition de groupes, comme si c'étaient les parias contre la clique populaire.

— Allô, dit Abby quand elle se dirigea enfin vers leur table.

Elle s'assit et posa son carnet de croquis près d'elle.

— Je voulais montrer certains de mes nouveaux dessins à Ash et à Patches.

— *Patches*? fit Jordan en levant les yeux.

— Oui, Patches. Ça te pose un problème?

«SOS, SOS.»

— Non.

Jordan poussa un grognement assez bas pour pouvoir feindre une toux. Il ramena son attention sur ses tablettes de feuilles.

— Pas le moindre problème.

Abby remua sur sa chaise et ramena une jambe sous elle. Malgré son visage plein d'attente et les fleurs de papier tissées dans sa tresse, il était évident que quelque chose la troublait. Le cœur de Dan se serra aux prochaines paroles d'Abby.

— Donc, je pense que ce soir est enfin le bon soir. Qu'en dis-tu ? Tu es d'humeur à jouer aux espions ?

— Je ne sais pas. La semaine a été assez longue.

Il aurait voulu ne jamais s'être aventuré dans l'ancienne aile. Ce périple les transformait tous d'une certaine façon. Il transformait *Abby*.

— Je me disais que nous pourrions peut-être regarder un film ou un truc du genre, insista Dan. Quelque chose de léger. D'ailleurs, si nous devions nous faire prendre de nouveau…

— Nous ne nous ferons pas prendre, dit-elle d'un ton plat, et elle ignora le reste de ses paroles.

Abby s'attaqua à sa salade, qu'elle mangea si vite que Dan se dit qu'elle ne devait même pas avoir le temps de goûter quoi que ce soit.

— Alors, qu'en dis-tu ? Rendez-vous au bas de l'escalier à 23 h ?

Elle interrompit l'assaut sur sa nourriture pour le darder d'un regard inébranlable.

— Hum… Je ne sais pas… répondit Dan, qui ne savait pas trop quoi dire.

— Bon sang, Abby. Donne au garçon une chance de souffler. De toute évidence, il ne veut pas y aller.

Avec un sourire moqueur, Jordan promena son regard entre Dan et Abby.

— Merci *beaucoup* de te joindre à la conversation, Jordan. J'allais *justement* te demander si tu voulais venir, mais je suis certaine que c'est plus amusant de faire des calculs, dit-elle.

Abby piqua une tomate cerise. La fourchette grinça bruyamment contre le bol. Dan eut un frisson dans le dos, comme si une craie avait grincé contre un tableau noir.

— Ouais, c'est probablement plus amusant. Peut-être que tu pourrais demander à tes copains artistes super chouettes de t'accompagner à la place, rétorqua Jordan.

— Peut-être que c'est ce que je *vais* faire. Au moins, eux, ils ne risquent pas de se transformer en John Nash.

— Tu ne pourrais même pas *deviner* ce qui se passe dans ma tête, dit Jordan. Grâce à ton bureau stupide, je fais des rêves. Des *cauchemars*. Comme si quelque chose s'était glissé en moi quand nous étions en bas et essayait de me déchirer pour ressortir. Mais pourquoi t'en soucierais-tu ? Tu es trop occupée à penser à toi pour t'inquiéter des autres.

Abby ouvrit la bouche, mais elle la referma.

Il revenait à Dan de trouver les bons mots.

— Quel genre de cauchemars ? demanda-t-il d'une voix douce.

— Je ne veux pas en parler.

Jordan passa une main dans ses cheveux emmêlés et laissa une traînée d'encre sur son front. Le pauvre mec n'avait jamais eu l'air si malheureux. Il ôta ses lunettes et les essuya contre sa chemise. Dan savait qu'il ne gagnerait rien en insistant.

Après une minute, Jordan soupira.

— Attendez, je veux en parler.

Il jeta un regard nerveux à la ronde, comme pour s'assurer que personne n'épiait leur conversation.

— C'est arrivé la nuit où vous êtes descendus au sous-sol, la nuit où Joe nous a surpris. Je fais le même rêve chaque nuit depuis. *Exactement* le même rêve. Je rêve que je suis dans cette... cellule. Et il y a ces médecins en blouses blanches qui me regardent de haut. Mais ils n'ont pas de visages. Ils ont des mains et des outils, mais il y a des trous à la place de leurs yeux, de leur nez et de leur bouche. Ensuite, ils serrent des sangles autour de moi, ils m'enferment, et...

Épaules affaissées, Jordan rappela à Dan un animal blessé.

— Ils me montrent des images. Et ils me donnent des électrochocs. Encore et encore. Je ressens cette douleur aigüe et lancinante, et je peux entendre mes parents parler, quelque part derrière les médecins. Ils disent quelque chose comme : «Il ira mieux maintenant. Il faut qu'il aille mieux.»

— C'est horrible, chuchota Abby. Je suis désolée, Jordan.

Jordan opina de la tête, les yeux rivés sur ses équations.

Dan était complètement figé. Il avait appris dans le cours de la professeure Reyes qu'à une époque, on avait l'habitude de faire subir une thérapie par électrochocs aux homosexuels afin de les «guérir». Est-ce que Jordan le savait aussi, ou est-ce que son rêve surgissait de nulle part ? Et que dire du fait que le rêve de Jordan ressemblait tant à celui que Dan faisait ? Était-ce là une autre quasi-coïncidence ? Accédaient-ils à une sorte de conscience jungienne collective ? Et où se situait le lien ?

Jordan ramassa ses tablettes de feuilles et serra son stylo dans la poche de son jean. Puis, il se leva, leur adressa un demi-sourire et recueillit son plateau. Il n'avait pas touché à son repas.

— J'ai besoin d'une sieste. Je vous reverrai plus tard...

Jordan se fraya un chemin entre les tables et ignora les quelques jeunes qui le saluèrent sur son passage.

— Je suppose que ça signifie qu'il ne reviendra pas dans le bureau avec nous, dit Abby, qui s'attaqua de nouveau à sa salade.

Dan fut secoué.

— Tu es un peu dure avec lui, tu ne crois pas?

— Eh bien, c'est la vérité!

Dans un soupir, Abby lâcha sa fourchette dans le bol et s'adossa contre sa chaise.

— Et la seule raison pour laquelle tu es vexé, c'est parce que tu ne veux pas y retourner non plus. Alors, pourquoi ne pas l'admettre?

— Ce n'est pas que je ne veux pas t'accompagner... commença Dan en cherchant les bons mots. Seulement, je crois que toute cette histoire est plus étrange qu'étrange. Tu es inquiète au sujet de ta tante, et je le comprends tout à fait. Tu veux des réponses, et je comprends ça aussi. Seulement...

— Tu n'es pas obligé de m'aider, Dan. Je peux m'en occuper seule.

Abby empoigna brusquement son carnet de croquis.

— Je veux aider, dit-il. Je veux aider Jordan, et je veux t'aider aussi. Et je...

«Je continue de vouloir des réponses,» se dit-il.

— Dans ce cas, *aide*-moi!

Elle se prit le pied dans le banc quand elle lui tourna le dos pour repartir, et elle trébucha. Elle agrippa la table avant de s'effondrer sur le sol et échappa son carnet de croquis. Dan bondit devant pour attraper le cahier.

Trop tard... Le carnet percuta le sol et s'ouvrit comme un éventail pour dévoiler de nombreuses pages couvertes de dessins tordus et sombres. Des feuilles libres s'éparpillèrent. Il y avait des tons de rouge et de noir, quelques pointes de bleu et de gris et une figure centrale blottie au cœur de chaque œuvre. La robe blanche qu'elle portait et son regard vide révélèrent son identité.

Il s'agissait de la fillette de la photographie, la fillette qu'Abby avait dessinée dans sa chambre. Mais il y avait autre chose dans ces illustrations. Soudain, Dan sut à quoi songeait Abby.

— *Lucy*, murmura Dan. Tu crois que la fillette de la photo est Lucy Valdez...

— J'ai seulement été inspirée, voilà tout.

Abby ramassa le carnet et réunit les feuilles libres.

— Je pense que tu devrais peut-être chercher de l'inspiration ailleurs.

«Merde.» Il n'avait pas formulé sa pensée comme il l'aurait voulu.

— Qu'en sais-tu? Tu n'es pas un artiste, Dan. Tu es... Je ne sais pas ce que tu es. Tu réprimes tout. Tu ne donnes jamais ton opinion. Me crois-tu réellement au sujet de ma tante? Je ne le sais même pas. Tu reçois un courriel bizarre et une note menaçante, et tu dis vouloir trouver des réponses, mais tu refuses de retourner au sous-sol avec moi. *Qui* es-tu, Dan? De quel côté te ranges-tu?

Elle lui tourna le dos et s'éloigna à pas lourds sans lui donner la chance de répondre. Il voulait répondre, lui dire *quelque chose*, mais elle se trouvait déjà parmi ses amis à la table des artistes, et la dernière chose qu'il souhaitait, c'était d'avoir un auditoire tandis qu'il tentait de défendre sa propre valeur.

De toute manière, qu'allait-il dire? Elle avait raison : il gardait *tout* pour lui. Il n'aimait pas prendre de risques, il était prudent. Il était renfermé. Il y avait tant de choses qu'il n'avait pas dites à Jordan et à Abby. Mais elle avait vu quelque chose en lui auparavant. Était-ce perdu?

Elle lui avait demandé qui il était. En fait, il était de nombreuses choses en ce moment. Et il avait l'impression d'être tiré dans un million de directions conflictuelles. Il voulait vraiment être avec Abby, et c'était là la direction la plus claire, celle qui l'attirait le plus. Mais la peur de ce qui les attendait dans l'ancienne aile envahissait son corps. Chaque fois qu'il descendait là-bas, quelque chose de mal leur arrivait — à eux et à leur amitié.

Dan nettoya la table, le visage rouge d'embarras. Il prit son plateau et sortit de la salle à manger sans regarder Abby et son nouvel entourage.

Dehors, l'air frais était comme une bénédiction. Il s'arrêta et jeta un coup d'œil par-dessus son épaule, par la fenêtre et dans la salle à manger. Abby, assise à table, lui faisait dos, mais il voyait bien, au mouvement de ses épaules, qu'elle était en train de rire.

Dan rentra à Brookline avec des pensées pesantes et le cœur encore plus lourd.

Quand il arriva dans sa chambre, il enfila son peignoir et parcourut le couloir d'un pas traînant jusqu'à la salle de bain. L'une des douches dans la cabine derrière lui coulait, et les gouttelettes tintaient contre l'avaloir de douche dans un rythme irrégulier. Pendant qu'il se lavait, il se remémora ce que le directeur avait écrit au sujet des «racines tordues». Où commençait la démence? Par la paranoïa et l'insécurité comme dans le cas de Jordan, ou par une obsession envahissante de l'esprit comme dans le cas d'Abby? Devrait-il s'inquiéter du fait que leurs comportements montraient les premiers signes d'une affliction plus grave?

«Ils marchent sur la frontière entre le génie et la folie. Tu connais bien cette frontière», se dit-il.

Quand il abaissa les mains de son visage, Dan remarqua qu'il s'était frotté la peau jusqu'à ce qu'elle soit presque à vif. Il s'essuya à l'aide de sa serviette, puis il s'immobilisa devant la glace. Il choisissait toujours le même miroir. Il y avait des égratignures noires et profondes au coin supérieur droit qui ressemblaient vaguement à un mot, et chaque soir, il choisissait d'y lire quelque chose de différent. Ce soir-là, il y lut : «À l'aide.»

CHAPITRE
N° 18

— Peut-être que tu te sentirais mieux si tu allais courir. J'ai tellement plus d'énergie à présent que j'ai commencé à faire de l'exercice. Te l'ai-je déjà mentionné, Dan ?

Dan leva les yeux de sa lecture.

— Seulement cinq fois, marmonna-t-il. Aujourd'hui.

— Ça ne change rien aux faits, répondit Félix depuis le sol, au beau milieu d'une énième série de pompes.

Au cours des derniers jours, Dan s'était pratiquement confiné à sa chambre, où il avait visionné des émissions de télé en ligne et occasionnellement lu des documents pour ses cours. Il n'avait ni vu ni parlé à Abby ou Jordan depuis la soirée où ils s'étaient tous emportés l'un contre l'autre. À l'heure du dîner, Abby s'assoyait avec ses amis artistes tandis qu'en apparence, Jordan avait décidé d'éviter tout simplement la salle à manger. Donc, Dan avait commencé à s'asseoir avec Félix et avait écouté son compagnon de chambre lui dire à quel point ses cours lui plaisaient et combien il aurait souhaité que le programme dure plus longtemps que cinq semaines. Au moins, *l'un* d'entre eux voyait les choses de la sorte.

— 75, compta Félix.

Il marqua une pause, hors d'haleine, puis prit une position à genoux. Ses paumes étaient rouges en raison de la friction contre le sol.

— Tu es le bienvenu si tu veux venir au centre d'entraînement avec moi ce soir. Ça pourrait vraiment te remonter le
moral et te faire oublier tes soucis.

Dan ne pouvait faire autrement que d'admirer sa détermination. Les boissons protéinées frappées et les visites quo-
tidiennes au centre d'entraînement transformaient rapidement
le physique autrefois grêle de Félix en un corps digne de *Fight
Club*. Il en demeurait, au restant, un peu mince et nerveux,
mais Dan n'aurait tout de même pas voulu le confronter dans
une ruelle sombre.

— Merci, dit Dan, mais je ne crois pas que le centre d'entraînement soit la place pour moi.

— La seule façon de le savoir, c'est de l'essayer.

Félix se leva et se dirigea vers le placard. Il enfila un t-shirt
et un coupe-vent, puis il remplit un sac de sport en incluant
des chaussettes blanches propres et une bouteille d'eau.

— À tout le moins, sors de la chambre, Dan, lui dit Félix
au moment de passer la porte. Prends une marche. Respire
de l'air frais. Tu pourras toujours regarder *Battlestar Gallactica* à
la maison. Ne laisse pas ce revers temporaire ruiner tout ton
été.

— Hum... OK? dit Dan en observant Félix sortir et
refermer la porte. Merci, Oprah.

Mais bien entendu, Félix avait raison. Dan se leva du lit,
ferma son ordinateur portable et enfila des vêtements
propres. Au moment où il tendait la main vers son téléphone,
ce dernier se mit à vibrer si violemment qu'il faillit tomber du
bureau. Dan se précipita pour l'attraper et fut soulagé de voir
«Maman» sur l'afficheur.

— Allô?

— Allô, mon chéri.

La voix de sa mère était pratiquement enterrée par le bruit du téléviseur en arrière-plan.

— Tu as activé le haut-parleur? demanda-t-il dans un gloussement. Vraiment?

— Ton père veut te dire bonjour, lui aussi. Il n'y a rien là. Alors, comment ça va? Aimes-tu toujours le collège?

L'enthousiasme de sa mère était toujours contagieux, si bien que Dan se surprit à sourire malgré sa mauvaise humeur.

— Ce n'est pas vraiment le collège, tu sais.

— Je sais, je sais, mais malgré tout…

— C'est Dan au téléphone? Salut, Danny, mon garçon!

— Salut, papa.

Dan se pinça l'arête du nez et commença à faire les cent pas d'un bout à l'autre de son lit.

— Ouais, je vais bien. Tout le monde est super gentil, et les cours sont géniaux.

— Comment va Abby? demanda sa mère.

Sans surprise, c'était là le sujet prioritaire dans l'esprit de sa mère.

— Elle va bien. Elle est une artiste extraordinaire. Et il semblerait que Jordan soit un prodige des maths.

— Oh, c'est super!

Il y avait de la joie, mais aussi du soulagement qui filtrait dans la voix de Sandy.

— Bon, j'appelais seulement pour te dire que je t'ai envoyé un colis avec des friandises. Je pense que tu aurais déjà dû le recevoir, mais je ne sais pas trop à quoi ressemble le service de courrier où tu es. Le paquet en contient assez pour que tu puisses partager avec Abby et Jordan aussi, s'ils affectionnent autant que toi les petits gâteaux au chocolat et les bonbons.

— Merci, maman.

— J'espère que tu ne passes pas tout ton temps à étudier, dit son père. Il faut que t'amuses aussi cet été, d'accord?

— D'accord, dit Dan, qui le pensait réellement.

Il jeta un regard à la ronde, à la recherche de son manteau, avant d'ajouter :

— Mais écoutez, je dois y aller si je veux trouver ce colis. Il fait déjà presque nuit dehors.

— OK, Danny. Et avertis-moi quand tu l'auras. Tu nous manques! Tu nous manques tous les jours.

— Merci. Vous me manquez tous les deux aussi.

Après avoir raccroché, Dan revêtit son manteau et quitta la résidence pour la première fois ce jour-là. La soirée était d'une fraîcheur agréable. Il traversa la place publique où Yi et ses amis musiciens jouaient de leurs instruments sur la pelouse. Dan s'arrêta un moment pour les écouter. Pour la première fois en plusieurs jours, il retrouvait le moral.

Il remplit la promesse faite à ses parents et se dirigea vers les bâtiments académiques. Ce serait agréable d'avoir quelque chose de la maison. Par ailleurs, Dan était assez affamé pour engloutir toute une boîte de petits gâteaux au chocolat à lui seul.

Sur la pelouse, devant la Place Wilfurd, un conseiller résident dirigeait un groupe d'étudiants dans une séance de yoga sur l'herbe. Dan les contourna vers l'entrée latérale d'un l'immeuble. Un local servant de petite épicerie et d'association étudiante situé à côté de la cafétéria abritait aussi une boîte postale pour chaque étudiant.

Dan repéra sa boîte dans le casier du centre, le numéro 3808. Il se pencha pour regarder à travers la fenêtre de verre et fut étonné de constater que la boîte était bien pleine. Il se servit de la petite clé reçue le jour de son arrivée et ouvrit la porte pour sortir tout le contenu de la boîte. Effectivement, il y avait un feuillet de papier vert lui indiquant qu'il pourrait recueillir son colis au comptoir postal. Il y avait aussi des dépliants de l'école, surtout de l'information pour les étudiants qui souhaitaient s'inscrire au collège. Il y avait un croquis fait par Abby au dos d'un devoir. Il se rappelle l'avoir vue le gribouiller en classe. Le dessin les représentait tous les trois vêtus d'armures, debout au sommet d'une montagne de livres, et il portait l'en-tête «VICTOIRE SCOLATISQUE, HOURRA!» en caractères gras. Dan rangea le dessin avec un sourire. Il ignorait à quel moment Abby l'avait glissé dans sa boîte, mais peut-être était-ce un signe qu'elle était prête à redevenir amie avec lui. Il décida de l'appeler dès son retour dans sa chambre.

Enfin, il y avait une enveloppe simplement identifiée par le numéro 3808, qui avait été écrit au feutre noir.

«Oh, non. Pas encore.»

CHAPITRE
N° 19

Dan faillit jeter l'enveloppe. Qui pouvait savoir quelle menace elle renfermait ? Mais au final, la curiosité l'emporta sur la crainte. Avec un sentiment d'effroi, il ouvrit le rabat.

La folie est relative. Elle dépend de qui a enfermé qui dans quelle cage.

L'écriture en pattes de mouche était la même que celle de la note sur l'hydre. Cette fois, ce ne fut pas la peur, mais bien la colère qui envahit Dan. Quelqu'un essayait de l'effrayer... et y parvenait.

Il jeta un regard à la ronde. Il n'y avait personne, mais il ne pouvait chasser le picotement sur sa peau qui lui indiquait que *quelqu'un* l'observait. Il jeta les documents sur l'école aux rebuts et rangea la note dans la poche de son manteau. Il récupéra son colis auprès du commis du magasin d'une main tremblante, puis il sprinta pratiquement hors de l'immeuble.

Ce ne fut qu'une fois de retour dans sa chambre qu'il sortit la note de sa poche et la posa sur son bureau. Il lança une recherche en ligne sur les phrases. On aurait dit une citation, et non un message impromptu. Ses soupçons s'avérèrent fondés. Les premiers résultats indiquèrent que ces phrases étaient tirées d'une pièce radiophonique de Ray Bradbury.

Que devait-il faire, maintenant ? Dan avait présumé que trouver la source de la citation lui serait utile, mais ce ne fut pas le cas. Celui qui avait glissé cette note dans sa boîte postale avait déjà laissé un message sinistre *sur son bureau*. Cette personne était entrée dans sa chambre...

Dan pivota sur sa chaise. Bien entendu, il n'y avait personne derrière lui.

«Réfléchis. Réfléchis! Tu passes à côté de quelque chose, quelque chose qui va sauter tout droit dans ton visage stupide.»

Dan fouilla dans le tiroir de son bureau pour en sortir la première note. Il les tint côte à côte. Il scruta l'écriture en pattes de mouche, le papier et l'encre : tous les éléments concordaient parfaitement. Il ne décela rien d'autre. Il n'aurait même pas pu dire si les notes avaient été rédigées par un homme ou une femme.

Donc, pour résumer ce qu'il savait : un désaxé sans nom, sans genre et pris d'une certaine affection pour Ray Bradbury avait choisi de le terroriser.

Dan songea à téléphoner à Abby ou Jordan, mais il choisit de ne pas le faire. Les notes lui étaient adressées et ne concernaient pas Abby ou Jordan. Quelqu'un tentait de s'en prendre à *lui*.

En guise de dîner, Dan mangea du maïs à souffler au four à micro-ondes inclus dans son colis, puis il se blottit sous sa couverture. Il frissonnait de façon incontrôlable. Son esprit tournait en rond — un rond très étroit.

Il prit son téléphone, et avec son pouce, il consulta sa liste de contacts pour finalement survoler le numéro de la docteure Oberst. Si quiconque pouvait l'écouter sans le juger, c'était bien elle. Et elle lui avait déjà dit de ne pas hésiter à l'appeler *en tout temps* si les choses tournaient mal durant l'été.

Mais que pourrait-il même lui dire ? S'il lui dévoilait avoir visualisé des pièces *réelles* avant même de les voir, elle insisterait probablement pour planifier une séance de thérapie. Mais les notes ? Comment pouvait-il être responsable des notes ?

Dan n'avait jamais autant douté de lui qu'à cet instant précis. Et si c'était lui, la « racine tordue » au cœur de tout ce qui n'allait pas ?

Il repoussa ses couvertures, bondit hors du lit et prit les deux mots qu'il avait laissés sur son bureau. Il les déchira en deux, puis déchira les moitiés obtenues en deux également. Il refusait de laisser quiconque tirer ses ficelles de la sorte. Il refusait de laisser quiconque le garder en cage dans sa chambre, dans son esprit.

Il allait se fier à son intuition dans cette histoire. Et son intuition lui disait que les réponses se trouvaient dans le sous-sol.

CHAPITRE
N° 20

Dan savait que se glisser furtivement vers le sous-sol seul n'était pas sa meilleure idée. D'abord, la porte serait verrouillée. L'un des surveillants de couloir monterait la garde. Mais il n'allait pas trop analyser la question. Réfléchir ne l'avait mené nulle part jusque-là.

Dans le couloir, les lampes étaient trop brillantes. Il se languissait de la couverture que prêtait l'obscurité totale. Au moins, il n'y avait personne dans les parages. Les autres étudiants dînaient ou vaquaient probablement à leurs propres activités, comme Félix.

Malgré tout, Dan ne voulait pas se montrer négligent. Il se dirigea discrètement vers les machines distributrices, et il s'apprêtait à tourner le coin vers le couloir menant au bureau du directeur quand il aperçut une silhouette sombre à l'autre bout du corridor... des pas... des voix. L'espace d'un instant terrifiant, l'idée que le Sculpteur ou un autre des tueurs de Brookline soit revenu hanter les couloirs de l'édifice provoqua une tension généralisée dans son corps. Dan se serra contre le mur en espérant ainsi se mêler aux ombres.

— Ils devraient rendre service à tout le monde et l'échanger, fit une voix masculine.

Dan laissa s'échapper un souffle qu'il n'avait même pas eu conscience de retenir. Ce n'était pas un fantôme, mais Joe.

— Si tu le dis, mon vieux.

Dan ne reconnut pas la deuxième voix. Il devait s'agir d'un autre surveillant. Faisaient-ils une patrouille des couloirs pour s'assurer que personne ne descende au sous-sol ? Dan se tint là pendant un moment qui lui sembla éternel jusqu'à ce qu'enfin, il aperçoive Joe et son compagnon sortir par la porte principale. Il patienta quelques minutes de plus par prudence, puis il tourna le coin pour s'aventurer dans l'ancienne aile. La chance lui souriait : personne ne montait la garde devant la porte lourde, mais en plus, celle-ci était déverrouillée. Dan se convainquit que Joe avait probablement négligé de refermer le cadenas l'autre soir. Pourtant, il ne parvenait pas à se débarrasser de l'impression que la porte était prête et l'attendait.

Dan se glissa à l'intérieur, et l'air confiné l'enveloppa comme s'il lui souhaitait la bienvenue. Il avait oublié à quel point il faisait sombre ici. Il enclencha l'interrupteur de sa lampe de poche, mais maintenant qu'il n'y avait personne d'autre pour briser le silence, la peur qu'il ressentait à cause des ténèbres croissait de façon exponentielle.

Dan s'enfonça dans l'aire de réception, puis dans le bureau à l'intérieur, celui à la porte vitrée sur laquelle les lettres avaient été grattées. Il retraça les pas franchis avec ses amis la dernière fois en prenant le temps de s'arrêter pour voir si les photos étaient toujours empilées en ordre sur le bureau. Depuis son cadre sur le mur, la photo du patient qui se débattait semblait le torturer. « Le Sculpteur, le patient numéro 361 », se dit-il.

Dan s'accroupit derrière le classeur et s'engagea dans le passage secret. Sans hésiter, il pointa le faisceau de sa lampe vers l'escalier, qu'il se hâta de descendre, car il savait bien qu'il pourrait perdre courage à tout moment et rebrousser chemin. Le couloir au bas des marches était toujours un fouillis. Il se faufila avec prudence entre les chaises et les chariots roulants. La dernière chose dont il avait besoin était de trébucher sur un meuble et de se briser le cou. Son corps resterait étendu là longtemps avant qu'on le découvre.

Dan passa devant les cellules vides avec l'impression que quelque chose allait en bondir à tout moment.

Il se déplaçait plus vite, maintenant, impatient d'atteindre le bureau ordonné et immaculé à l'autre bout du couloir. Si l'on oubliait les battements de son cœur et sa respiration rapide, le couloir était étrangement silencieux.

À quelques pas de la rotonde et du bureau qui se trouvait au-delà, son pied se buta à un objet petit, mais lourd. Ce dernier roula plus loin dans l'obscurité, et Dan tourna le faisceau de sa lampe vers le sol pour suivre la trace que l'objet, quel qu'il soit, avait laissée dans la poussière sur le sol jusqu'à l'une des cellules ouvertes.

Au milieu de la pièce, Dan leva la main et prit le risque de tirer sur la ficelle fixée à un plafonnier. Une seule ampoule nue s'alluma en bourdonnant et clignota un instant avant d'éclairer la cellule d'une faible lumière jaune. L'éclairage était à peine suffisant pour qu'il puisse y voir, mais cela valait mieux que le seul faisceau de sa lampe de poche.

Dan survola les lieux du regard. Il s'agissait de l'une des nombreuses cellules qu'Abby et lui n'avaient pas explorées. Elle ne renfermait qu'une table et un lit. Dan plissa les yeux et décrivit un cercle complet. À quoi avait-il donné un coup de pied, et jusqu'où avait roulé l'objet ?

Puis, un carillon doux et aigu se fit entendre de sous le lit. Dan trébucha vers la source du son, qui crépita légèrement avant qu'une voix se mette à chanter.

Non, ce n'était pas un chant, mais plutôt une musique… Dan s'accroupit, et le poil de ses avant-bras se hérissa tandis que les fausses notes d'une boîte à musique se répandaient dans la pièce. Il ne reconnut pas la mélodie. Elle avait une sonorité si ancienne qu'il se demanda si le moindre de ses contemporains la connaîtrait. Dan tâtonna le sol sous le lit jusqu'à ce que ses doigts effleurent la surface métallique nervurée de la boîte. Il la tira avec précaution de sous le lit, puis la recueillit pour l'examiner. Deux ressorts brisés saillissaient des côtés. Au sommet de la boîte trônait une petite figurine en porcelaine, une ballerine. Elle prenait une pose de danse, les bras recourbés avec grâce au-dessus de sa tête. Le bout de ses doigts se terminait en une pointe dangereusement affilée, et l'expression sur son visage était étrangement suffisante, comme si elle savourait un secret.

Dan écouta le croassement douloureux de la chanson tandis que les notes tiraient à leur fin, la mélodie mécanique mourant à petit feu. Enfin, la musique cessa, et la pièce fut de nouveau plongée dans le silence.

Il tourna la boîte et découvrit une inscription gravée sous celle-ci.

À Lucy : pour ton anniversaire, avec affection.

Dan fixa les mots pendant un long moment, peut-être dans l'espoir qu'ils allaient changer ou disparaître. Ce ne pouvait être la même Lucy, n'est-ce pas ? La Lucy d'Abby ? Si Abby leur avait raconté la vérité, les parents de Lucy ne semblaient pas être du type à lui envoyer un cadeau pour son anniversaire. Peut-être était-ce un cadeau du directeur en personne ? Quoi qu'il en soit, pourquoi cette boîte se trouvait-elle ici ?

Est-ce que ça signifiait que Lucy était… morte ? Ou l'avait-elle simplement laissée là ?

Dan continua à ressasser la question comme s'il exécutait une longue opération. Il avait une certitude : il ne partagerait pas cette découverte avec Abby. Elle se torturerait l'esprit en essayant de comprendre sa signification.

Il déposa la boîte sur le sol et se retourna pour sortir de la cellule quand soudain, la chanson décousue s'éleva de nouveau et retentit plus fort, plus vite et plus clairement à mesure qu'elle jouait. Dan songea à pulvériser la boîte pour l'arrêter, mais il choisit plutôt de fuir. Cette boîte avait déjà représenté quelque chose pour quelqu'un.

Dan s'avança dans le couloir et parvint à la rotonde où Abby et lui avaient trouvé le bureau intérieur. Cette fois, il prit la pleine mesure de l'espace. En promenant le faisceau de sa lampe sur les murs, il découvrit une petite porte face au bureau. Il empoigna la poignée de porte et lui fit faire un tour. La porte n'était pas verrouillée, mais elle ne bougea pas. Elle était complètement figée, gonflée par l'humidité et la morosité. En s'y appuyant de tout son poids, Dan fit tourner la poignée et poussa la porte de toutes ses forces. Dans un grincement de protestation, elle s'ouvrit soudain, et Dan réussit à peine à s'éviter une chute terrible. Devant lui se trouvait un escalier vers un autre étage inférieur.

CHAPITRE
N° 21

Dan fixait des yeux le trou béant. Quelle pouvait bien être la profondeur du bâtiment, de toute façon ?

Il fut étonné par l'air froid qui s'élevait de l'espace en dessous. Son pull molletonné était loin d'être assez chaud ; il aurait dû apporter un foutu parka. Et n'auraient-ils pas pu construire les marches un peu plus larges ? Cet escalier aurait donné un infarctus à un inspecteur en sécurité : il était escarpé, étroit, bordé d'une chute à pic des deux côtés et muni seulement d'une fine poutre à titre de rampe.

En agrippant la rampe d'une main et sa lampe de poche de l'autre, Dan posa le pied sur la première marche. Il descendit trois marches, puis il posa le pied sur une quatrième, et bientôt, il en descendit une dizaine. Au 15e pas, il atteignit un petit palier, mais il ne parvint toujours pas à voir le sol à l'aide de sa lampe de poche. Il n'y avait que des marches et encore des marches, inclinées à un angle cauchemardesque et plongeant vers les entrailles du sous-sol.

Il atteignit un autre palier, descendit 12 marches de plus, et enfin, il atteignit le bas. Il promena le faisceau de sa lampe à la ronde et remarqua que la faible lumière ne suffisait pas pour qu'il discerne le haut ou même les côtés de… En fait, qu'est-ce que c'était ? Une caverne ? Une chambre forte ? Il n'avait aucune façon de le savoir, mais une chose était sûre : l'endroit était énorme. Dan toussa et écouta l'écho ricocher pendant une bonne minute avant qu'il s'estompe enfin.

Il s'avança lentement dans l'espace gigantesque. Çà et là, il y avait des colonnes de bois qui s'élevaient du plancher au plafond. Autrement, les lieux semblaient être déserts.

Il atteignit enfin une voûte carrée menant à un autre espace. Dan eut soudain l'envie de rire : la superficie de l'étage des cellules et du bureau secret du directeur lui avait donné la chair de poule, mais ce lieu était une autre histoire, un mystère presque impossible à percer tandis que ses yeux lui communiquaient de l'information. C'était comme si un palais s'étalait ici bas. À quoi donc cet espace avait-il pu servir ?

Mais il devait s'agir de la dernière pièce ; il le fallait bien. Il balaya l'endroit du faisceau de sa lampe et découvrit une boîte de métal rouillé, boulonnée au mur à ses côtés. Il en ouvrit le panneau avant avec précaution. Les charnières rouillées grincèrent, et le son se réverbéra sans fin dans la chambre.

Quelle veine ! La boîte contenait des commutateurs en grande quantité. Dan enclencha le plus gros et fut récompensé par un faible bourdonnement, suivi d'un vrombissement. Enfin, il y eut un léger déclic, et les lampes s'allumèrent. Seules quelques-unes fonctionnaient, et l'ampoule de l'une d'entre elles explosa dans une pluie de verre et d'étincelles. Dan se baissa de façon instinctive, puis il haleta.

Devant lui se dressait un amphithéâtre anatomique.

Au milieu de la pièce s'élevait une plateforme de bois, et au centre de celle-ci, il y avait une table d'opération. Elle était recouverte d'un drap lisse, blanc à l'origine, mais à présent gris de poussière. Un oreiller rembourré était posé à un bout.

Des sangles de cuir munies de boucles divisaient le lit en trois parties. Autour de la table principale étaient disposées quelques petites tables à roulettes chargées d'instruments chirurgicaux.

Des rangées de chaises étaient disposées en cercle autour de la plateforme, comme s'il s'agissait d'une arène sportive. *Des gradins...* Comme si assister à la chirurgie d'une personne était une forme de divertissement...

Avec un haut-le-cœur dégoûtant, Dan se rappelle avoir déjà vu cette pièce aussi, dans un cauchemar. Dans son rêve, il était attaché *sur* cette table.

Il descendit les gradins lentement, attiré par la plateforme. Il en fit un tour complet sans quitter des yeux la table. Combien de tueurs avaient été traités ici? Est-ce que la petite Lucy avait été attachée là durant sa chirurgie, alors que des gens *observaient* la scène? Dan songea à la cicatrice sur son front, qui laissait entendre qu'elle avait subi une lobotomie. Si c'était bien le cas et si elle y avait survécu, la pauvre petite Lucy n'avait pas dû avoir une vie digne de ce nom.

Pourquoi diable aurait-on bâti un amphithéâtre anatomique si profondément sous le sol? Cherchait-on à cacher quelque chose?

Un petit bureau et un classeur au fond de la pièce attirèrent le regard de Dan. Les deux meubles avaient été poussés dans l'ombre, comme si quelqu'un avait voulu qu'ils soient ignorés. Le cœur de Dan s'emballa. Si des patients avaient subi des chirurgies ici — si Lucy Valdez avait subi une chirurgie ici —, il y aurait certainement des dossiers à ce sujet. Avec un peu de chance, ces dossiers n'auraient pas été perdus dans la pagaille au moment de la fermeture de Brookline.

Mais en s'approchant du classeur, il sentit soudain que sa tête était lourde, comme si elle avait été rembourrée de laine. Il cligna des yeux une fois... deux fois... Le sol sembla se dérober sous ses pieds.

Il se tint au-dessus de la table, prêt, confiant. Son moment était venu. Il avait un auditoire qu'il n'allait pas décevoir. Il détenait là sa chance de prouver que ses méthodes, aussi peu orthodoxes soient-elles, fonctionnaient. C'était lui, le directeur, le père de confiance de la famille de Brookline : un père strict, mais juste au bout du compte. Daniel baissa le regard sur sa blouse blanche propre et les instruments qu'il tenait dans ses mains, désinfectés et miroitants. Tout était prêt.

Tous les hommes dans l'auditoire étirèrent le cou pour essayer de mieux y voir. Devant lui, attaché sur la table d'opération, se trouvait un petit garçon qui aimait allumer des incendies. Quand Daniel battit des cils, quelqu'un d'autre apparut. C'était une autre personne qu'il devait réparer : une veuve cruelle qui avait empoisonné six maris — une jolie jeune fille à la chevelure d'un roux vif. Il cligna encore des yeux et découvrit la créature la plus épouvantable de toutes. Il observa le visage cireux de l'homme, relâché à présent grâce aux sédatifs. Cet homme était brisé, mais il ne le serait plus encore bien longtemps. Il pouvait être réparé ; ils pouvaient tous être réparés...

Dan, le directeur, sursauta. Des bruits soudains... Un martèlement rappelant le tonnerre... Le bruit de pas au-dessus de lui... Sa vision s'embrouilla puis tourbillonna, hors de contrôle. Pas maintenant ! Ils ne pouvaient pas venir l'arrêter maintenant. Jamais les autorités ne comprendraient ce qu'il essayait de faire.

Dan... Dan...

Ils hélaient son nom, à présent ; ils étaient venus l'arrêter.

— Dan ! Allô ? Dan, est-ce que ça va ? Tu me fais peur. Reviens sur terre !

S'ensuivit une série de claquements de doigts.

Transi de froid, Dan comprit, dans un sursaut, qu'il était étendu sur le sol. Le visage d'Abby se matérialisa au-dessus de lui à mesure que sa vision se désembuait. Il fut d'abord soulagé, puis instantanément honteux. Qu'aurait-elle pensé de lui si elle avait pu lire dans son esprit?

— C'est moi, dit Abby, agenouillée près de lui. Ça va. Tu vas bien, à présent, tu vas bien.

— Pendant combien de temps ai-je été inconscient ? demanda-t-il en effleurant un point sensible sur sa tête, là où il avait dû se cogner.

Il constata qu'il était étendu sur le sol près du classeur, entouré de papiers éparpillés.

— Je ne sais pas, dit-elle. Je viens d'arriver, et tu étais couché sur le sol.

Elle parut si inquiète qu'il se sentit mieux. Soudain, il tendit les mains vers elle pour l'amener vers lui et l'embrasser. Il avait peut-être agi ainsi à cause du soulagement qu'il avait pu lire sur son visage ou à cause de son propre soulagement lorsqu'il avait constaté que c'était elle, et non un fantôme du passé devenu réel. Dan l'ignorait, et il s'en fichait. Le baiser les surprit tous les deux.

— Oh. Bon, souffla Abby.

Sa bouche goûtait les menthes Altoids et le baume à lèvres aux cerises.

— Je suppose que nous pouvons cesser de faire semblant de nous détester, hein ?

— Je suppose que oui, répondit Dan.

Elle lui adressa un sourire.

— Et… pouvons-nous faire comme si je n'avais jamais dit tous ces trucs sur le fait que tu étais bizarre?

— Attends une minute; quels trucs? demanda-t-il.

Abby lui donna une petite tape sur la poitrine. Même si c'était agréable de la voir sourire et rire de nouveau, dans les faits, Dan ne se souvenait *pas* de l'avoir entendue dire qu'il était bizarre. Avait-il bloqué le souvenir de son esprit? Ou avait-elle parlé de lui en ces termes à certains de ses amis artistes — ou même à *Ash*?

Dan secoua la tête. Il n'allait pas s'aventurer dans cette voie — plus jamais. Il avait embrassé Abby, et l'expérience avait été aussi belle qu'il aurait pu l'espérer.

— Nous devrions sortir d'ici, dit Abby. Cet endroit me donne la chair de poule.

Elle aida Dan à se relever. Sa tête le faisait souffrir, et il était plutôt étourdi.

— Hé, fit-il soudain. Que fais-tu ici, de toute façon?

Abby sembla un peu embarrassée.

— Hum… Je me suis rendue à ta chambre après le dîner. Je voulais seulement te voir et te présenter mes excuses pour ma conduite. Comme tu n'y étais pas, j'ai eu peur que tu sois venu ici tout seul. Je suppose que je voulais seulement m'assurer que tu allais bien.

Dan prit la main d'Abby, et elle serra brièvement la sienne. Ils gravirent les gradins escarpés. Une fois au sommet, Dan fit un arrêt pour éteindre la lumière. Il se retourna pour jeter un dernier regard à la salle maintenant obscure.

Deux points lumineux brillèrent dans le coin le plus éloigné.

Ce n'était rien de plus qu'un trompe-l'œil, l'empreinte laissée par les ampoules. Il ne s'agissait pas des yeux d'hommes qui les observaient. Dan referma rapidement la porte derrière eux.

— Qu'est-ce que tu fabriques? demanda Abby.

Dan s'avança à ses côtés en secouant la tête.

— Rien, dit-il d'une voix douce. Rien. Sortons d'ici. As-tu faim? J'ai des gâteaux incroyablement rassis qui nous attendent dans ma chambre.

— Ça me semble délicieux, dit Abby en s'appuyant contre lui. C'est un rencard.

CHAPITRE
N° 23

Quand ils atteignirent la dernière porte, Dan sentit qu'entre le sous-sol et lui, c'était terminé. Tout ce qui importait maintenant était Abby et la chaleur de sa main dans la sienne. Ils allaient arranger les choses avec Jordan, et il finirait l'été avec ses meilleurs amis sous le soleil, loin des ténèbres.

L'euphorie de Dan fut toutefois de courte durée.

Quelque chose de terrible avait eu lieu au rez-de-chaussée. Des policiers fourmillaient dans tous les coins, et le hall d'entrée était bondé d'étudiants. Une fille pleurait de façon hystérique. La lumière aveugla douloureusement les yeux de Dan, habitués à l'obscurité du sous-sol.

Après avoir échangé un regard inquiet, Dan et Abby firent de leur mieux pour se fondre dans la foule. Un grand policier traversa le couloir devant eux et faillit les heurter. Il leur accorda à peine un regard avant de se frayer un chemin en tassant les étudiants à coups d'épaule. La foule s'écarta lentement pour lui céder le passage. Il atteignit la fille qui pleurait, la prit par les épaules et lui parla d'une voix douce.

— Que diable...?

Dan et Abby tentèrent de voir ce qui se passait, mais la foule était simplement trop dense pour qu'ils puissent faire plus que quelques pas.

Une policière surgit par la porte d'entrée. Dan aperçut alors les gyrophares bleus et rouges des voitures de police garées dehors. Il semblait y en avoir quatre ou cinq.

— Ôtez-vous du chemin! tonna la policière. Il s'agit d'une scène de crime. Sortez dehors! Maintenant!

Le grand policier et elle entreprirent de réunir les jeunes sur la pelouse. Les étudiants sortirent lentement, étant donné l'effet d'entonnoir à la porte d'entrée. Dan et Abby suivirent la foule, suivant les instructions de l'agente.

— Des policiers? chuchota Abby, dont le visage était blême.

— Essayons de découvrir ce qui est arrivé.

Dehors, un troisième agent parlait avec la fille en pleurs. Les autres étudiants avaient formé des groupes et discutaient à voix basse. Dan repéra enfin Yi et Jordan. Ce dernier ne semblait pas être en grande forme. Il les darda d'un regard noir avant de disparaître dans la foule.

— Que se passe-t-il? demanda Dan.

Yi lui jeta un regard étonné.

— Ton compagnon de chambre a trouvé un type mort dans l'escalier. L'un des surveillants de couloir. Jake... ou George...

— Joe? s'exclama Dan avant qu'Abby lui couvre la bouche.

— Ouais, c'est ça. Joe. Ton mec, Félix, revenait d'une course de fin de soirée quand il l'a trouvé. On dirait bien qu'il était mort depuis un moment.

Le «moment» n'avait sûrement pas été si long. Dan avait entrevu Joe dans les couloirs juste avant de descendre au sous-sol. À quand remontait sa descente? Une heure? Peut-être moins? Il fallait qu'il détermine combien de temps il avait passé au sous-sol.

Pendant ce temps, Yi continuait de parler.

— Du moins, c'est ce que je me suis dit quand je l'ai vu.

— Tu l'as vu? demanda Abby, horrifiée.

Yi opina de la tête.

— Je l'ai entrevu, en fait, quand Félix s'est mis à crier. Il avait les yeux ouverts, grands ouverts. Fixant… le vide. Ça m'a fichu la trouille. Jordan l'a vu aussi. Joe était debout, appuyé contre l'escalier, une main sur la rampe et l'autre tenant son téléphone portable…

«Comme une sculpture…»

— Hé, dit Yi soudain, ce qui les fit sursauter tous les deux. Où étiez-vous, de toute façon? Comment est-ce possible que vous ne sachiez rien de tout ça?

— Nous ne faisions rien, rétorqua Abby trop vite avant de regarder Dan à la dérobée.

— Oui, dit-il, le ton de ta voix sonnait aussi coupable que tu le penses.

— Merde. D'accord, très bien. Tu as *raison*.

Elle baissa les yeux vers ses pieds.

— Nous étions occupés à nous embrasser passionnément, d'accord?

Dan n'allait certainement pas contredire cette exagération. Elle lui plaisait beaucoup, en fait. Et c'était là un alibi brillant : ainsi, personne ne saurait qu'ils étaient plutôt occupés à explorer l'ancienne aile.

— Dans l'ancienne aile? demanda Yi.

Abby haussa les épaules.

— Vous êtes fichtrement bizarres, tous les deux, marmonna Yi. Vous savez, je suis inquiet au sujet de Jordan. Voir Joe l'a sans aucun doute secoué — enfin, ça nous a *tous* secoués. Mais Jordan avait déjà une mauvaise mine. Il me parle à peine, ces jours-ci. Il travaille continuellement sur des problèmes de maths qui n'ont rien à voir avec ses cours, j'en suis presque certain.

— Crois-tu que ses cauchemars commencent à l'affecter? demanda Abby.

— Ouais, il se réveille constamment au milieu de la nuit. Et je pense qu'il a des ennuis avec ses parents; ils ont peut-être appris qu'il était ici, quelque chose comme ça. De toute façon, j'ai l'impression que la situation est bien pire que ce qu'il dit. J'espère seulement qu'il aura un endroit où aller quand il repartira, vous comprenez?

Yi marqua une pause.

— Vous le tenez à l'œil, tous les deux?

Abby et Dan échangèrent un regard préoccupé. Puisque les membres du trio avaient pris leurs distances, ils n'avaient pas la moindre idée que Jordan se portait si mal. Dan se sentit coupable; il aurait dû s'assurer que Jordan allait bien, même si ce dernier s'était refermé sur lui-même.

— Ouais, nous gardons l'œil sur lui, dit Dan.

«Nous le ferons désormais, en tout cas.»

D'autres policiers arrivèrent. Ils commencèrent à diviser les étudiants en petits groupes plus faciles à gérer, probablement pour mener les interrogatoires.

Merde, pourquoi se sentait-il si coupable?

— Dan, mon vieux, ça va? Tu as le teint un peu vert, tout d'un coup...

Yi lui donna un léger coup sur le bras.

— Moi? Je vais bien.

— De quoi parles-tu? demanda Abby en levant les yeux vers lui. Manifestement, aucun d'entre nous ne va bien.

Deux policiers — le grand agent et celui qui avait déplacé tout le monde vers l'extérieur — approchèrent de l'endroit où ils se tenaient pour réunir leur groupe près d'un arbre.

— Vous feriez mieux de vous trouver un alibi crédible, fit Yi à voix basse. Avant que Mulder et Scully vous tirent les vers du nez, je veux dire. Vous ne voulez pas qu'ils apprennent que vous étiez dans la zone interdite.

Yi se retourna pour parler à un autre jeune, mais Dan arrivait à peine à bouger. Et si Yi avait raison? Allaient-ils vraiment être interrogés? «Bien sûr qu'un policier va te questionner; un meurtre a eu lieu.»

— Nous n'étions pas dans l'ancienne aile, dit Dan, qui empoigna le bras d'Abby. Nous étions dans le salon du deuxième, celui près de ta chambre. Nous devons faire concorder nos histoires; sinon, ils pourraient croire que nous avons quelque chose à voir avec...

Il fut incapable de dire le reste de sa phrase à voix haute.

— Mais nous étions très loin du deuxième, dit Abby.

Elle lui adressa un regard perplexe.

— Pourquoi nous faudrait-il une histoire?

Dan lui prit l'avant-bras pour la tirer loin des autres étudiants.

— Fais-moi confiance, d'accord? Songes-y bien : nous errions tous deux dans le bâtiment tard en soirée. Comme Joe est un type costaud, il ne t'aurait probablement pas crue capable de le dominer, mais à nous deux...

— Hé, c'est une insulte, ça, dit Abby, qui arracha son bras à la poigne de Dan. Je suis peut-être ce qu'on pourrait qualifier de «petite»...

— Tu es minuscule.

— Peu importe. Ça ne change rien, Dan. Je suis plus forte que j'en ai l'air. Et ce n'est pas comme si tu étais un géant aux muscles bombés non plus, alors je ne vois pas pourquoi *tu* serais un suspect alors que je ne le serais pas.

— Pourquoi nous disputons-nous à ce sujet ? chuchota-t-il. Tu es Wonder Woman, d'accord ? Tu es...

— Je suis la Veuve noire.

— Abby...

— *Dis-le*, ordonna-t-elle avant de croiser les bras et de balancer une hanche de côté.

— Tu es la Veuve noire. Multipliée par 10. Tu es contente, maintenant ? Et putain, pourquoi n'es-tu pas plus affolée ?

— Je *suis* affolée, poussa Abby d'une voix grinçante avant de lui donner une petite poussée. Je suis sincèrement affolée. C'est ce que je fais quand je suis affolée : je débite des banalités. Sottement. Je bredouille sottement pour me distraire afin de ne pas m'affoler !

— OK, OK.

Il espéra que personne n'avait entendu leur échange. Ils donnaient l'impression d'être coupables, même s'ils ne l'étaient pas. Eh bien, ils n'étaient pas coupables de *meurtre*, simplement coupables de manque de jugement et d'un profond mépris pour les règles flottantes liées au couvre-feu. Il savait au moins ça. N'est-ce pas ?

— Pauvre Félix. J'espère qu'il n'est pas trop traumatisé, dit-elle avant de scruter la foule. Le vois-tu ?

— Non, répondit Dan. Je suis certain qu'il est interrogé par la police.

— Armez-vous de courage.

Yi était de retour. Il se glissa à leurs côtés et leur parla du coin de la bouche.

— J'aperçois Mulder et Scully à 6 h.

Dan prit une profonde respiration pour se préparer à déverser un torrent de foutaises aux agents de la paix. Abby et lui furent alors séparés : l'agente isola Abby plus loin tandis que Dan suivait le grand gaillard. Le processus complet fut étonnamment rapide et sans heurt. Le policier lui posa les questions habituelles. Où était-il ? Qu'avait-il entendu et vu ? Se souvenait-il d'avoir aperçu des étrangers près de la résidence ce jour-là ? Dan répondit de façon vague et mentionna qu'il se trouvait au deuxième avec son amie et qu'il avait entrevu Joe plus tôt ce jour-là, mais qu'il n'avait remarqué aucune personne suspecte rôdant à Brookline.

— Merci, lui dit le policier quand il eut posé toutes ses questions. Si tu vois quelque chose d'étrange, qui sort de l'ordinaire, informe un membre du personnel. D'accord, mon garçon ?

— OK. Merci, Monsieur.

Dan s'éloigna, hébété. Il venait de mentir effrontément à un policier. Pourquoi ? Explorer le sous-sol n'était rien en comparaison à un meurtre — rien du tout. Il devait se le rappeler encore et encore. «Oublie ton fichu alibi. Le meurtrier est encore en liberté.»

L'agente finit de s'entretenir avec Abby peu après. Tandis que Dan l'attendait, il surprit deux policiers qui discutaient à voix basse.

— Probablement un clochard, dit l'un des deux. Il y en a toujours qui se saoulent aveuglément et qui viennent errer sur le campus. Nous allons le trouver dans un buisson dehors, tu verras bien.

Dan se demanda comment un étranger aurait pu entrer dans la résidence, étant donné que les portes d'entrée se verrouillaient automatiquement de l'extérieur.

— Puis-je avoir votre attention, je vous prie ?

Dan reconnut la voix du directeur qui s'était adressé à eux lors des premiers jours de la session. Il avait été tout sourire alors. À présent, il paraissait éreinté; son visage était encore barbouillé de sommeil, et il semblait secoué jusqu'à la moelle.

— Puis-je avoir votre attention? répéta-t-il, debout sur la première marche de l'entrée.

Les étudiants se turent, et les policiers s'éloignèrent.

— Merci. D'accord, je sais que c'est une nuit difficile pour tout le monde. À la première heure demain matin, vos parents seront avisés de la situation. Pour l'heure, nous devons faire ce qui vaut le mieux pour vous, notre corps professoral, notre personnel et, bien entendu, la famille de Joe McMullan. Les policiers procéderont à une fouille complète de l'immeuble ce soir, et un agent sera posté à chaque étage pour veiller à la sécurité de tous. Je suis certain que vous êtes nombreux à avoir des questions; je serai heureux de rester ici pour vous aider du mieux que je le pourrai. Pour ce qui est du reste d'entre vous, je vous demande d'être prudents et vigilants et de collaborer pleinement avec le service de police de Camford. Et ayons tous une pensée pour la famille de Joe ce soir.

À ces mots, des pleurs ondulèrent parmi la foule. Devant Dan, deux filles se raccrochèrent l'une à l'autre en sanglotant. Des étudiants se massèrent autour du directeur et crièrent des questions jusqu'à ce qu'il leur demande de se calmer et de parler à tour de rôle.

Comme l'agente avait laissé Abby repartir, cette dernière vint à la rencontre de Dan.

— Je ne pense pas qu'elle a noté la moitié de ce que je lui ai dit. Peu importe, je suis tellement pressée de me mettre au lit que c'en est presque incroyable, même si je ne pense pas que j'arriverai à dormir.

Elle frémit.

— Si seulement tout ça était un cauchemar duquel nous allions nous réveiller. Bref, on se voit demain?

Elle lui prit la main et la serra. Dan serra la sienne en retour.

— Ouais. Essaie de dormir. Nous nous reparlerons demain. Envoie-moi un texto si tu as besoin de moi.

D'un pas lourd, Abby suivit un agent qui dirigeait les étudiants vers un escalier à l'arrière pour qu'ils regagnent leurs chambres, vu que l'escalier principal était ceinturé par un cordon de police. Le corps avait été recueilli, mais pour l'instant, l'endroit demeurait une scène de crime. Dan se traîna les pieds dans l'escalier à sa suite, épuisé au-delà de toute raison. Il ne souhaitait rien d'autre que de disposer d'un moment afin de se remémorer leur baiser et d'oublier carrément qu'il se trouvait à Brookline, l'endroit où un meurtrier cavalait librement.

CHAPITRE
N° 24

Félix n'était pas dans la chambre à l'arrivée de Dan. «Toujours en interrogatoire avec la police», songea-t-il. Il se demandait encore si les agents allaient laisser Félix repartir ce soir-là quand la porte s'ouvrit; Félix entra dans la chambre. Il se dirigea vers son lit sur-le-champ et s'y blottit, les genoux ramenés contre la poitrine. Toujours revêtu d'un t-shirt et d'un short de course, Félix avait l'air vulnérable et effrayé.

— Oh, mon Dieu, Félix, je suis vraiment désolé, dit Dan. Personne ne devrait être témoin d'une telle chose.

Sur le lit, Félix tremblait tellement que tout le cadre de lit en était ébranlé.

— Veux-tu en parler?

Félix secoua la tête. Il donnait l'impression que s'il ouvrait la bouche, il se mettrait à pleurer.

— Si tu as besoin de parler ou de quoi que ce soit d'autre, tu sais où me trouver. N'importe quand.

Félix ne répondit pas.

La tête dans le brouillard, Dan entreprit machinalement de se brosser les dents et de se préparer pour le lit. Un policier patrouillait dans le couloir, une main posée contre l'étui de son révolver. Ceci amena Dan à se déplacer avec beaucoup de prudence dans le couloir.

De retour dans la chambre, il découvrit avec étonnement que Félix s'était endormi. Dan éteignit la lampe et se mit au lit dans les vêtements qu'il portait. Il ne voulait pas courir le risque de réveiller Félix en se changeant. Par ailleurs, ce n'était pas comme s'il allait s'endormir de toute façon. Au moment où il se coucha, il entendit un craquement. Il fouilla dans la poche de son kangourou et en sortit quelques feuilles. Il n'avait pas la moindre idée de la façon dont elles s'étaient retrouvées là. Il se souvint vaguement d'avoir aperçu une suite d'armoires dans l'amphithéâtre anatomique, mais il avait perdu connaissance avant de les atteindre. Était-ce là un autre trou de mémoire? C'était étrange, parce qu'il ne se souvenait même pas d'avoir traversé la pièce.

Une pensée bizarre lui lézarda l'esprit, cependant. Et si c'était Abby qui les avait insérées dans sa poche pendant qu'il était inconscient? Il se souvenait d'avoir vu des papiers sur le sol quand il était revenu à lui. Avait-elle lu les feuilles et découvert qu'elles concernaient Lucy? Mais si c'était le cas, Abby lui en aurait sûrement glissé un mot. Et il ne pouvait imaginer aucune raison pour laquelle elle aurait placé les feuilles dans sa poche.

Il y avait assez de lumière qui filtrait par la fenêtre pour que Dan n'ait pas recours à sa lampe de chevet. Il lissa les feuilles froissées sur son oreiller. Il s'agissait du même genre de notes qu'il avait déjà lues.

Dan parvint à la dernière feuille. L'écriture sembla bondir vers ses yeux.

Le directeur de l'asile.

Un éclair d'inspiration m'est venu ce matin lors du petit-déjeuner : je crois qu'il existe un moyen de m'assurer que mes idées vivent éternellement. Tous les hommes tendent vers l'immortalité à leur façon, que ce soit par le legs d'enfants portant leur nom et leur bagage génétique, l'architecture ou encore la science. Il s'agit donc simplement de ma quête d'un legs sans pareil.

Le travail sera macabre ; il n'en fait aucun doute. Pourtant, Michel-Ange avait ses cadavres secrets, et je dois aussi, en tant qu'artiste d'un autre acabit, prendre des risques et faire des sacrifices...

Ainsi, le directeur avait accompli des « sacrifices » macabres sur ses patients afin de forger son héritage. Dan songea aux fiches qu'ils avaient tous examinées dans le bureau du directeur, dont un si grand nombre affichaient la lettre « N » dans la case « Guéri ». Combien de chirurgies s'étaient soldées par un échec ? Combien de patients avaient subi la douleur et la terreur au nom de la quête de l'immortalité du directeur ?

Dan poursuivit sa lecture :

J'ai toujours détesté le mot « sacrifice ». Il conjure l'image de sauvages qui cognent sur des tambours autour d'un feu. Mais les sacrifices sont nécessaires et réellement précieux. Et très dangereux.

La note se terminait ainsi. Mais il y avait encore du texte au verso dans l'écriture devenue familière du directeur. Et au bas se trouvait une signature composée de deux noms : « Daniel Crawford ».

CHAPITRE
N° 25

Les policiers trouvèrent le meurtrier de Joe le lendemain, dans un bar du centre-ville. Il avait le portefeuille de Joe et un lacet étrangleur. Le directeur organisa une réunion à la Place Wilfurd pour informer les étudiants du fait qu'ils étaient en sécurité maintenant, mais que ceux qui voulaient rentrer à la maison obtiendraient un remboursement complet. Les cours reprendraient le lendemain. Il y aurait des conseillers disponibles pour les étudiants qui avaient besoin de parler à quelqu'un.

Dan trouva Abby et lui demanda si elle voulait se promener avec lui. La cour adjacente à la Place Wilfurd était dénuée de la cohue ordinaire de jeunes qui se lançaient un disque volant ou jouaient aux quilles sur l'herbe. Il régnait sur le campus une humeur morose. Ils décidèrent de quitter le campus pour un moment et s'engagèrent donc sur un sentier menant vers la forêt. Dès qu'ils franchirent quelques mètres, l'air parut plus frais, et la lumière fut tamisée par la voûte des arbres au-dessus d'eux.

— Comment s'en tire Félix ? demanda Abby après un moment.

Dan haussa les épaules. Il n'en était pas certain.

— Il n'était pas là à mon réveil, et je ne l'ai pas vu à la réunion. Peut-être qu'il consulte l'un des conseillers.

— Et toi ? Est-ce que ça va ?

Abby glissa sa main dans la sienne.

— Ouais, mentit Dan.

«Parle-lui. Dis-lui tout. Cesse de tout renfermer à l'inté-rieur.» Mais vraiment, comment pouvait-il lui en parler? «Hé, il semblerait qu'un directeur se cachait derrière toutes les conneries horribles qui ont eu lieu ici. Oh, tu ne devineras jamais, nous avons le même nom. Ah, oui, et je fais ces rêves où je vois les choses à travers ses yeux. Il n'y a rien là.»

Dan savait enfin pourquoi Sal Weathers et sa femme s'étaient mis dans une telle colère quand il leur avait dit son nom.

— Jordan ne répond pas quand je lui téléphone, dit Abby, qui interrompit ainsi ses pensées.

Les aiguilles de pin craquaient sous leurs pas.

— Je lui ai envoyé un texto hier soir à mon arrivée dans ma chambre, puis un autre ce matin. Je présume qu'il sait que le meurtrier a été arrêté, même si je me demande s'il a quitté sa chambre. J'ai reçu une seule réponse : «Occupé avec mes devoirs». Je ne comprends pas pourquoi il se comporte de façon si étrange. Ça ne ressemble vraiment pas au mec dont j'ai fait la connaissance dans le bus.

— Peut-être qu'il a besoin d'être seul un moment. Après tout, il a *vu* le cadavre.

— Peut-être… Mais je continue de songer à ce que Yi nous a dit à propos du fait de le garder à l'œil. Je suis inquiète, voilà tout, tu sais? Je suis du type à m'inquiéter, dit-elle. Je vais réessayer de le joindre plus tard. Ça ne peut faire de mal d'essayer, n'est-ce pas?

× × × × × ×

Dan ne revit pas Abby pour le reste de la journée. Une fois de retour dans sa chambre, il fixa le mur, ses pensées dans un méli-mélo. Quand son téléphone sonna dans sa poche, il bondit presque jusqu'au plafond.

«Calme-toi, Dan. C'est seulement un appel de tes parents», se dit-il.

Il répondit à l'appel en sachant déjà comment la conversation allait se dérouler.

— Oh, Danny, nous venons de recevoir un appel du directeur de ton programme, qui nous a dit qu'un garçon a été *tué* à l'intérieur même de ta résidence. Qu'est-ce qui se passe? As-tu besoin que nous...?

Sa mère parlait à un rythme paniqué.

Il se hâta de l'interrompre.

— Hé, hé, écoute : ils ont *arrêté* le type, d'accord?

Il constata qu'il criait presque et baissa le ton avant d'ajouter :

— Je vais bien. Tout le monde est en sécurité, maintenant. Il y a des conseillers sur place et tout, et ils ont arrêté le type responsable.

— Le directeur a dit qu'un suspect avait été arrêté, fit-elle d'une voix cassante. Il ne semblait pas aussi assuré que toi.

Dan devait prendre un ton convaincu, non seulement pour sa mère, mais aussi pour lui-même. C'était difficile d'ignorer le fait que pendant qu'il était dans les pommes et avait une vision du Sculpteur, deux étages en haut, Joe était en train d'être... eh bien, *sculpté*.

— S'ils croyaient vraiment que nous sommes en danger, ils mettraient fin au programme et nous renverraient tous à la maison.

Dan s'exprima avec toute l'autorité dont il était capable dans l'espoir désespéré que Sandy croie en sa parole.

— J'imagine que tu as raison. C'est seulement... Mon cœur saigne alors que tu es là-bas. Tu es avec tes amis? Tu vas bien?

— Je vais bien. Et Abby et Jordan aussi.

«En quelque sorte.»

— Je te le promets.

— OK. Bon, si tu en es certain...

— Hé, puisque je vous ai au téléphone, je peux vous poser une question?

— Bien sûr, Danny. Attends, je vais enclencher le haut-parleur.

Il entendit un déclic, puis soudain, le bruit devint très sourd à l'autre bout du fil.

— Allô, papa.

— De quoi as-tu besoin, Danny? demanda Paul.

«Par où commencer?»

— J'ai simplement une question à vous poser sur mon... historique familial, je suppose. Je parle de ce qui vient avant vous deux. Des trucs sur mon enfance. J'effectuais une recherche sur cet établissement. Vous savez, la résidence a déjà servi d'hôpital psychiatrique. Et apparemment, le directeur de l'hôpital s'appelait aussi Daniel Crawford.

«Sois prudent dans ton choix de mots...»

— J'ai trouvé que c'était, euh, une coïncidence intéressante. Savez-vous si nous avons peut-être un lien de parenté?

— Dan, fit son père d'une voix apaisante. Dis-moi la vérité : veux-tu que nous venions te chercher? Nous pouvons prendre l'avion tout de suite. Ça ne nous pose aucun problème.

— Quoi ? Non ! Ce n'est pas ce que je…

— Je suis sérieux. Toute cette histoire me rend mal à l'aise. Tu devrais rentrer à la maison. Tu sais que tu n'es pas… très bien équipé pour ce genre de choses, dit son père.

Il y avait longtemps que Dan l'avait entendu prendre un ton si inquiet.

— Danny, mon chéri, ton père est seulement inquiet. Nous le sommes tous les deux, ajouta sa mère. Devrais-tu appeler la docteure Oberst ? Si tu crois que tout ceci pourrait déclencher une crise…

— Mais je n'ai même pas parlé de vouloir rentrer à la maison…

— Des hôpitaux psychiatriques, des directeurs… Qu'en est-il de toi dans tout ça, Danny ? Tu ne donnes pas l'impression que tu prends soin de toi !

Son père avait repris la parole, et à en juger par son timbre de voix, il était en train de se mettre en colère.

— Calme-toi, Paul. Danny, nous sommes inquiets pour toi, c'est tout. Nous essayons seulement de te dire que si tu veux quitter le collège, nous croyons que ce serait une bonne décision, une décision rationnelle. Nous avons toujours su que ça pourrait être trop exigeant pour toi…

— Écoutez, oubliez tout ça. N'appelez pas la docteure Oberst. Ne vous inquiétez pas pour moi. Je dois y aller.

Il raccrocha malgré leurs protestations.

Paul et Sandy lui avaient toujours affirmé que tout ce qu'ils pouvaient lui dire concernant ses parents était de l'information «non identificatrice», comme le fait qu'ils étaient en santé, détenaient un diplôme collégial et n'avaient pas d'autres enfants. Toutefois, apparemment, il suffisait de cocher une petite case indiquant que vous ne vouliez pas divulguer votre identité pour qu'il faille soudain une bonne raison et une ordonnance du tribunal pour obtenir quoi que ce soit.

Honnêtement, Dan ne s'était jamais vraiment soucié de savoir qui ses parents bons à rien étaient. Paul et Sandy étaient plus que géniaux ; ils étaient devenus sa famille. Mais tout à coup, découvrir son historique familial lui semblait l'objectif le plus important au monde, la pièce manquante de ce puzzle exaspérant, le lien entre Dan et un tueur impitoyable. De tous les endroits où il aurait pu aboutir cet été-là, il était impossible qu'il ait choisi ce lieu par erreur.

Brookline représentait sa destinée. Brookline coulait dans son sang.

CHAPITRE
N° 26

Dan effectua une fouille avide des tiroirs de son bureau, à la recherche de la photo de Daniel Crawford. Les yeux rayés étaient gravés dans sa mémoire, mais les autres traits restaient flous, et il devait scruter l'homme de plus près. Après avoir déversé tout le contenu des tiroirs sur le lit sans tomber sur la moindre trace de la photo, il commença à sentir un serrement dans sa poitrine. Il avait beau retourner la pile dans tous les sens, il n'arrivait tout simplement pas à la trouver.

La photo avait disparu.

Il avait bel et bien *vu* la photo, n'est-ce pas ?

Oui, oui, il en était tout à fait convaincu. Il avait même posé des questions à Félix à ce sujet. C'est d'ailleurs ainsi qu'il avait appris l'existence même de l'ancienne aile.

Peut-être que Félix avait pris la photo pour une raison ou une autre. Dan ne pouvait imaginer pourquoi, mais c'était une hypothèse plus réconfortante que l'autre choix qui se présentait à lui, soit que quelqu'un soit entré furtivement dans sa chambre pour y laisser des photos sinistres, puis pour les reprendre. Il tâtonna sous son lit, là où il avait caché le dossier en s'attendant à moitié à ce que celui-ci ait aussi disparu.

Mais non, il était là, exactement là où il l'avait laissé.

Il voulait s'assurer qu'aucun détail ne lui avait échappé la dernière fois. Peut-être avait-il même rangé la photo dans le dossier sans s'en souvenir. Il ouvrit le dossier, et là, sur le dessus de la pile de papier, se trouvait une note à l'écriture désormais atroce à ses yeux. Elle n'avait même pas été insérée dans une enveloppe, cette fois.

Dans un monde dément, seuls les fous sont sains d'esprit.

Dan lança le dossier à l'autre bout de la chambre. Des feuilles volèrent dans tous les sens.

— Je n'en peux plus ! hurla-t-il.

L'instant d'après, quelqu'un cogna à la porte, puis un garçon de la chambre voisine, Thomas, passa la tête par l'embrasure.

— Ça va, mon vieux ? demanda-t-il.

Dan opina de la tête, trop vexé pour dire quoi que ce soit de cohérent.

— Tu sais, si tu as besoin de parler de quoi que ce soit, à propos de Joe et tout ça, il y a des conseillers… ou je pourrais, tu sais, si tu en as besoin…

Sa voix s'éteignit.

— Non, vieux, ça va, vraiment. Merci de t'informer, dit Dan, qui gonfla les joues dans un semblant de sourire — du moins, c'est ce qu'il espérait.

Thomas referma la porte avec un haussement d'épaules.

Dan ne voulait pas d'aide, et il souhaitait encore moins être l'objet de la pitié des autres.

Durant le dîner, Abby fut distante. Recroquevillée sur sa chaise, elle se rongea les ongles et joua à un jeu qui consistait à garder le regard fixé le plus longtemps sur sa purée de pommes de terre. Dan continua de ressasser le peu d'information qu'il détenait sur son traqueur mystérieux. Même si tout le monde dans la cafétéria avait nettement moins d'entrain qu'à l'habitude, Dan eut l'impression que toute la tristesse dans la salle émanait de sa table.

Enfin, Abby prit la parole.

— Donc, je me disais que nous sommes forcément des gens terribles. Des gens vraiment très terribles, je veux dire.

— Euh... Ce n'est pas ce à quoi *je* pensais, mais je t'écoute.

— Je pense à Jordan, dit Abby, qui sembla s'affaisser davantage sur sa chaise. J'ai l'impression que nous lui avons complètement fait défaut.

— Comment? Tu lui envoies une tonne de textos. Il sait que nous lui tendons la main.

— Ça ne suffit pas. Nous devrions aller le voir. Nous devons parvenir à percer sa carapace, sans quoi nous ne valons guère mieux que sa famille ou le type de son école qui l'a laissé tomber.

— Abby, s'il veut qu'on le laisse tranquille...

— Mais ce n'est *pas* le cas. Nous gérons tous le stress à notre manière. Je crois qu'il se cache, comme s'il avait peur d'être une sorte de fardeau en nous parlant de ce qui se passe. Je veux qu'il sache que ce n'est pas vrai du tout.

— Je sais, mais je crains quand même d'envahir son espace. Peut-être que tu devrais simplement lui envoyer un autre texto.

— Parfois, Dan, les amis doivent prendre position et dire : «Hé, l'idiot, nous sommes là, peu importe ce qui se passe. Nous n'allons pas disparaître quand tu es grognon ou en colère; nous sommes là pour rester. Nous sommes ensemble dans cette galère!»

— Tu vois, c'est pour ça que tu me plais autant, dit-il, et ces mots les étonnèrent tous les deux.

— Que veux-tu dire?

— Rien. Tu as raison. Nous devrions aller le voir, dit Dan.

— J'ai un cours de portrait jusqu'à 21 h. Ça me semble si loin. Crois-tu que tu pourrais aller le voir après le dîner? Je vous rejoindrais après mon cours. Je t'en serais très reconnaissante.

— Ouais, pas de souci. Je vais lui répéter ce que tu as dit, mais je laisserai peut-être tomber la partie où tu le traites d'idiot. J'espère que ça ne t'ennuie pas...

— Non, fit-elle en riant. C'est probablement une bonne idée. Merci, Dan. À plus tard?

Dan opina de la tête et lui envoya la main tandis qu'elle ramassait son plateau et se dirigeait vers son cours. Il sortit de la Place Wilfurd quelques minutes plus tard et suivit le sentier bien battu qui menait à la résidence. Il ne restait que deux semaines de cours avant leur retour à la maison. Il ne savait pas trop quoi ressentir à ce sujet. Au moins, Pittsburgh n'était pas si loin de New York. Il aurait parié que faire le voyage en train était facile.

Deux policiers montaient toujours la garde dans le hall d'entrée. Ils étaient là pour rassurer tout le monde, mais ne réussissaient qu'à rendre Dan nerveux, comme s'il restait un élément à résoudre, un élément dont les étudiants n'avaient pas été informés. Le grand agent qui avait interrogé Dan le salua d'un signe de tête tandis que Dan passait la porte. Il s'efforça de ne rien lire dans cette reconnaissance.

Sur l'étage de Jordan, le corridor était vide. Dan avait remarqué que la plupart des étudiants avaient choisi de rester dehors et loin de Brookline ce jour-là. Ceci ne fit que renforcer son pressentiment que Jordan serait dans sa chambre, puisqu'il semblait si déterminé à éviter la compagnie d'autres humains.

Dan cogna à la porte de Jordan, mais il n'obtint pas de réponse. Il cogna un peu plus fort et attendit, une oreille appuyée contre la porte. Il se demanda si Jordan était là et refusait de répondre. Mais non, il n'entendit aucun mouvement à l'intérieur de la chambre. Sur un coup de tête, il tourna la poignée. La porte s'ouvrit.

Il n'y avait personne à l'intérieur. La pièce était frigide. La moitié de la pièce réservée à Yi avait un air normal, quoiqu'un peu désordonné, mais la moitié de Jordan était couverte, du plancher au plafond, de morceaux de feuilles jaunes déchirés, noircis de son écriture désespérée. Dan entra dans la pièce et se dirigea vers un mur tapissé. Il se pencha devant pour l'observer de plus près. Il s'agissait de maths d'un niveau qui échappait complètement à sa compréhension. Il se demanda même si Jordan en comprenait le sens.

— Le problème impossible à résoudre, murmura-t-il.

La surface du bureau de Jordan avait disparu, enfouie aussi sous une montagne de feuilles jaunes. Sur le dessus de la pile trônaient toutefois deux photographies imprimées sur du papier à imprimante ordinaire. Ces photographies… Dan les recueillit. C'étaient deux photos d'Abby, de Jordan et de lui ensemble. Ils se tenaient côte à côte, bras dessus, bras dessous, souriant jusqu'aux oreilles. À quel moment ces clichés avaient-ils été pris? Dan n'en avait aucun souvenir, ce qui l'effraya énormément. Jamais il n'avait fait l'expérience de trous de mémoire de cette ampleur.

Mais il y avait quelque chose d'encore plus troublant que son amnésie apparente : le visage de Dan avait été raturé avec une telle force sur les deux photos que le papier en avait été déchiré.

— Qu'est-ce que tu fiches ici ?

— Merde !

Dan pivota sur lui-même et laissa tomber les photographies.

— Tu m'as presque fait mourir de peur, mon vieux ! dit-il.

— Crois-tu que je m'en soucie ? répondit Jordan.

Les cheveux mouillés et une serviette à la main, Jordan revenait manifestement de la douche. Il montra la porte du doigt.

— Sors d'ici !

— Attends, Jordan… Je voulais seulement voir comment tu allais. C'est tout ! Je n'avais pas l'intention de…

Jordan empoigna le bras de Dan et le tira sur quelques pas.

— Je me fiche de tes intentions ! Fiche le camp d'ici !

Dan se précipita dans le couloir et grimaça quand il entendit la porte claquer bruyamment derrière lui. Il tâtonna maladroitement sa poche à la recherche de son téléphone et envoya un bref texto à Abby. Le message indiquait simplement : « Jordan très fâché ».

C'était là la manifestation d'une rage, d'une rage bien réelle dont Dan semblait être la raison. Mais pourquoi ? Que diable avait-il fait ? Qu'est-ce qui aurait pu pousser Jordan à le détester de la sorte ?

Était-il possible que… Jordan soit son traqueur ?

Non, croire cela aurait été de la *pure* paranoïa.

CHAPITRE
N° 27

*Dan pouvait sentir un effluve de menthe. Son bureau avait toujours
cette odeur. La jeune secrétaire laissait une boîte de bonbons à la
menthe poivrée sur son bureau chaque matin, et il en dévorait le
contenu durant la journée. Julie était son nom. Elle était jeune et
jolie – trop pour déjà travailler dans un lieu comme celui-ci.*

*Un rapport à moitié terminé était posé sur le bureau devant lui.
Cette facette de son travail, la paperasse, l'énervait toujours. Voilà à
quoi servaient les adjoints, bon sang. Mais il était impossible de se
fier à eux. En suçant un bonbon à la menthe, il rajusta ses lunettes
et se remit au travail.*

Où en était-il ? Ah, oui. À rédiger...

*Chaque victime a été étranglée, mais certaines se sont débattues :
leurs ecchymoses et coupures en sont les signes manifestes. Selon le
rapport, les victimes dans une pose de danse avaient un air particulièrement convaincant, comme c'était le cas pour celles postées au
bar, assises et debout. Bon Dieu, la planification nécessaire à une
telle mise en scène... Un cadavre atteint sa raideur ultime environ
12 heures après le décès. Tuer tous les clients d'un bar, puis attendre
des heures parmi les morts... J'admets que j'étais moi-même sceptique à l'idée qu'un traitement puisse venir en aide à un homme si
profondément troublé.*

*Heureusement, la répétition des traitements-chocs à l'insuline
et deux semaines dans la chambre noire semblent avoir amélioré le
tempérament du patient, dans une certaine mesure. Il paraît presque
docile. J'ai presque réussi à accomplir quelque chose de stupéfiant*

avec cet homme. Il y aura d'autres séances et un suivi de son comportement. La prochaine séance aura lieu ce jeudi.

Son rapport terminé, il signa son nom.

Daniel Crawford, directeur

Il étudia sa signature, puis signa encore, et encore. Il inscrivit son nom plus vite et encore plus vite, son stylo volant sur la page alors qu'il écrivait le nom «Daniel Crawford» à répétition. La page disparut sous ses yeux. Il put apercevoir les cadavres dansants, entendre le disque siffler doucement en arrière-plan. Le disque jouait la musique de la boîte à musique de Lucy. Puis, il tomba dans le terrier du lapin, toujours plus creux...

Et il s'éveilla de sa sieste dans un sursaut. Dan n'avait même pas eu conscience de s'être assoupi. À quoi avait-il rêvé? Il se concentra avant que le souvenir se dissipe... Encore une fois, il voyait les choses à travers les yeux du directeur, comme s'ils étaient les siens. La sensation était terriblement réelle. Il se rappela même avoir rédigé le rapport, dans l'écriture du directeur. S'il se concentrait assez fort, il pouvait même goûter les bonbons à la menthe poivrée.

Dan roula hors du lit, toujours résolument sonné. Sur sa table de chevet, son téléphone s'alluma et afficha une photo d'Abby. Son texto apparut sous l'image.

Cours terminé. Ils distribuent des glaces sur la place publique. Je veux une mise à jour sur Jordan. Rencontre dans cinq minutes?

Cinq minutes? Bon sang, il n'avait pas le temps de passer sous la douche. Pour vérifier son haleine, Dan plaça sa paume en coupelle devant sa bouche et souffla. Ça aurait pu être...

mieux. Il fouilla son sac à dos à la recherche d'un vieux paquet de gomme à mâcher, mais le simple goût de la menthe lui donna un haut-le-cœur.

Quoi d'autre Daniel Crawford allait-il ruiner pour lui? L'attrait de la glace avait apparemment réussi à vider la résidence, tant de ses étudiants que des policiers. Dan jogga dans le couloir silencieux en direction de l'escalier à l'arrière. Au deuxième étage, il agrippa la rampe comme à l'habitude et pivota autour de celle-ci pour atteindre la volée de marches suivante. Cependant, une forme sombre le fit sursauter, et il trébucha en percutant presque la masse dans l'escalier. Il l'évita à la dernière seconde et se glissa vers la droite en empoignant la rampe opposée.

D'abord, il crut qu'il ne s'agissait que d'un sac à dos échappé par un étudiant ou peut-être d'un seau laissé derrière par l'équipe d'entretien. Mais non, la forme était plus massive et – oh, mon Dieu – elle était *humaine*. Là, avec un bras sur les jambes et l'autre balancé au-dessus de sa tête, gisait le compagnon de chambre de Jordan, Yi. L'espace d'une seconde, les membres de Dan refusèrent de collaborer. Il fut incapable de bouger.

«Oh, mon Dieu, il est mort. Oh, mon Dieu, il est mort, il est mort...»

Enfin, Dan s'agenouilla et prit Yi par les épaules pour le secouer doucement. «Que disaient ces dépliants en matière de sécurité, déjà? Ne déplacez pas une personne qui a fait une chute parce que vous pourriez empirer la situation?»

— Non, non, ça ne peut pas être vrai. Ça n'est *pas* vrai, chuchota Dan, qui tâtonna doucement le t-shirt de Yi.

Il appuya la paume contre la poitrine de Yi et attendit, puis il poussa un rire de soulagement hystérique quand il sentit le battement de son cœur.

— Yi! Yi, tu m'entends?

Il le secoua de nouveau. Aucune réaction... Dan sortit brusquement son téléphone de sa poche et composa le 911 de ses doigts affolés. Valait-il mieux communiquer avec les gens de l'équipe de sécurité du campus? Ils se trouvaient assurément plus près. Où étaient passés les policiers?

— Oui, allô? J'ai besoin d'aide. Je suis à la résidence Brookline, sur le campus. Désolé, hum, à Camford, au Collège du New Hampshire. Mon ami est inconscient. On dirait qu'il a été attaqué. C'est aussi possible qu'il soit tombé. Je ne sais pas. Il respire, mais je n'arrive pas à le réveiller. Il a bel et bien un pouls...

L'opératrice insista pour qu'il demeure en ligne, et même s'il n'eut qu'à patienter quelques instants avant que les policiers arrivent, il eut l'impression qu'une éternité s'écoula. Il garda la main posée sur l'épaule de Yi et lui répéta que ça irait, qu'il irait bien, que tout irait bien. Après un moment, Dan sut qu'il bredouillait, que les mots trébuchaient à la sortie de sa bouche tandis qu'il luttait pour ne pas céder à la panique. Il tenta de ne pas remarquer que l'une des chevilles de Yi était croisée soigneusement sur son autre jambe, comme si Yi s'était simplement assis dans l'escalier pour se reposer. Enfin, les policiers arrivèrent. L'un d'entre eux aida Dan à se relever. Il lui tapota le dos et lui demanda de les attendre au rez-de-chaussée.

D'autres policiers arrivèrent, suivis par d'autres, et enfin, les auxiliaires médicaux se présentèrent. Hébété, Dan répondit à leurs questions. Non, les marches n'étaient pas glissantes; non, il n'avait pas déplacé Yi le moindrement; oui, il avait appelé les secours dès qu'il l'avait découvert. Et non, il ne connaissait personne qui aurait pu vouloir faire du mal à

Yi. Ils le firent s'asseoir sur un banc dans le hall d'entrée tandis que les agents verrouillaient les portes. Personne de l'extérieur ne put pénétrer dans l'immeuble, et des policiers postés sur chaque étage indiquèrent aux étudiants toujours dans leur chambre de ne pas en sortir.

Par les fenêtres du hall d'entrée, Dan aperçut des étudiants se réunir dehors et regarder à l'intérieur pour tenter de voir ce qui se passait. Quand il songea finalement à jeter un coup d'œil à son téléphone, il remarqua qu'il avait reçu six textos, tous de la part d'Abby.

Des policiers viennent d'entrer en panique à l'intérieur. Où es-tu?

Il avait aussi reçu le message suivant :

Dan? Ça va? Que se passe-t-il? Tu vois la police à l'intérieur?

Les messages devinrent de plus en plus paniqués pour se solder par un sixième et dernier message composé uniquement de points d'exclamation et d'interrogation.

Dans lui répondit alors par texto : «Je vais bien. J'ai découvert Yi. Il est tombé dans l'escalier, je crois.» Dan leva les yeux de son téléphone. Les auxiliaires médicaux portaient Yi sur une civière, une couverture serrée autour de sa poitrine. «On l'amène vers une ambulance maintenant.»

Dès que les auxiliaires atteignirent les portes, deux policiers bondirent devant pour leur frayer une voie et contrôler la foule qui attendait de jeter un coup d'œil à ce qui se passait. Le bruit extérieur qui envahit le hall fut assourdissant; il y eut une masse de cris et de pleurs, en plus du vacarme strident des sirènes de l'ambulance.

Abby répondit à la vitesse de l'éclair.

Ouah! Pauvre Yi! Je les vois l'amener vers l'ambulance. Toi, ça va?

Dan fut reconnaissant de son inquiétude. «Bien», répondit-il même si c'était une demi-vérité. Tandis que les policiers l'interrogeaient, arpentaient les lieux et le questionnaient de nouveau, Dan ne pouvait penser à rien d'autre qu'à Yi, qui avait paru aussi immobile qu'une sculpture.

À en juger par leurs questions, les policiers ne croyaient manifestement pas que le meurtre de Joe et cet incident puissent être liés. D'abord, Yi était toujours en vie. Ensuite, le meurtrier apparent était derrière les barreaux. Mais en observant le visage des étudiants dehors, Dan sut qu'ils pensaient tous la même chose : Brookline était un lieu dangereux.

— Mon garçon?

Dan quitta lentement des yeux son téléphone pour les lever vers l'agent qui se tenait devant lui. Il ne se souvenait pas de son nom, même si ce dernier s'était présenté à un moment au cours de l'interrogatoire. Dan n'avait tout simplement pas l'énergie nécessaire pour s'en souvenir.

— Tu es libre de partir, dit le policier, qui désigna les portes d'un signe de tête. Nous voulons que tout le monde reste dehors pour l'instant. La direction demande aux étudiants de se réunir à la cafétéria.

Abby rôdait autour de l'entrée de la résidence et contournait les agents qui tentaient de l'amener plus loin. Quand elle aperçut Dan, elle se précipita vers lui.

— Hé! Tu… tu vas bien? Vraiment?

Elle l'étreignit avec fougue.

— Ton câlin ne nuit pas.

Personne ne réussissait très bien à amener les étudiants à quitter la scène. Il régnait tout simplement un trop grand brouhaha. Dan scruta les lieux à la lueur des voyants des sirènes et découvrit que même des professeurs et des villageois avaient été éveillés par la perturbation. Des grappes d'étudiants chuchotaient à l'abri des arbres, et Dan reconnut quelques visages familiers. Parmi eux se trouvaient ceux de surveillants de couloirs et de professeurs, dont la professeure Reyes. Il y avait également la femme de Sal Weathers. «Que diable...?» Son visage aux traits tirés paraissait encore plus spectral à la lueur bleue des gyrophares des voitures de police. La professeure Reyes se fraya un chemin dans la foule et interpela un policier. Elle semblait crier et débattre avec lui. Quand Dan tenta de nouveau de repérer la femme de Sal, elle avait disparu.

Abby et lui se joignirent à la foule de jeunes qui se dirigeaient vers la Place Wilfurd.

— C'est si horrible que ça dépasse l'entendement, dit Abby. Crois-tu qu'il s'en tirera ?

— Je ne sais pas. Enfin, il respirait, mais il était inconscient. Il est possible qu'il soit tombé — je ne sais pas. J'espère seulement qu'il va bien.

Dans la cafétéria, les étudiants s'agitaient dans le désordre. Certains des amis artistes d'Abby se ruèrent vers eux pour bombarder Dan de questions. «Oh, bien sûr. J'étais là. Je l'ai découvert. Évidemment, tout le monde est au courant.» Enfin, Abby les intercepta et leur demanda de lui donner de l'espace.

— Merci, lui dit Dan quand ils repartirent. Je ne pense pas que je pourrais supporter d'autres questions pour le moment. Les policiers m'ont déjà mis sur la sellette.

Les surveillants de couloirs avaient déjà apporté les glaces à l'intérieur, puis les avaient étalées sur une table de buffet afin que les étudiants puissent se servir. Il y avait aussi une jeune femme coiffée d'un filet de travers qui préparait des laits fouettés.

— Est-ce que tout cela est censé nous faire oublier ce qui s'est passé? demanda Abby en roulant des yeux.

Mais alors, elle surprit Jordan qui se tenait seul près des fenêtres. Elle pinça le coude de Dan.

— Apportons-lui quelque chose. Yi et lui sont proches. Il doit être bouleversé.

— Il n'était pas exactement ravi de me voir quand je lui ai rendu visite, dit Dan. En fait, j'ai l'impression qu'il était vraiment en furie contre moi.

— Ouais, j'ai lu ton texto, répondit-elle rapidement. Je continue de penser que nous devrions aller lui parler.

— Ouais, très bien. Seulement… Abordons-le avec précaution, d'accord? Je n'ai pas vraiment envie de me faire crier dessus en ce moment.

Ils attendirent leur tour pour obtenir un lait fouetté pour Jordan. Dan entendit les jeunes devant lui discuter de leurs plans pour partir du collège. Son cœur se serra. Est-ce que ça signifiait que le programme était terminé pour de bon? Il soupçonnait que la seule raison pour laquelle le collège n'avait pas fermé ses portes après le meurtre de Joe était l'arrêt si rapide d'un suspect, mais un autre incident… Eh bien, il était facile de comprendre pourquoi les gens parvenaient à cette conclusion.

Des laits fouettés en main, Abby et Dan s'approchèrent de Jordan. Il n'y avait aucune trace de son calepin et de son crayon. Il tenait plutôt son dé aux multiples facettes, qu'il faisait tourner dans tous les sens dans sa main, comme s'il tentait d'en polir les coins. Le regard fixé vers la place publique par la fenêtre, il était toujours vêtu de son peignoir bleu et d'une paire de chaussons de suède bruns.

Quand Jordan les aperçut, il leur lança d'un ton de défi :

— Je n'en veux pas. Je n'ai pas besoin de votre démonstration de pitié.

— Dans ce cas, nous allons partir et te laisser seul, répondit Abby, qui posa la boisson sur la table à côté de lui. Mais nous tenions à ce que tu saches que nous sommes là si tu as besoin de nous.

Elle tourna les talons pour repartir et fit un signe de tête à Dan pour lui indiquer de la suivre.

— Attends une seconde.

Jordan prit la boisson entre ses deux mains. De gros cernes noirs se dessinaient sous ses yeux, et ses cheveux étaient en bataille. Les gyrophares des voitures de police dehors se reflétèrent sur son visage, qui passa du rouge au bleu, puis au blanc spectral.

Pendant un instant, Jordan garda les yeux rivés sur le gobelet dans ses mains. Puis, il leva lentement la tête pour regarder Abby et Dan.

— Merci. Pour le lait fouetté. Et… merci.

— Alors, comment tu t'en sors ? demanda Dan.

Jordan poussa un soupir.

— Tout paraît irréel, mon vieux. Bon, *peut-être* qu'il est tombé. Mais vous avez vu tous ces policiers ? C'est impossible que ce soit une simple chute.

Il prit une longue gorgée de la boisson.

— Qu'est-ce que Yi a fait de mal ? C'est un brave type. Il parle un peu trop, mais il est gentil.

Le directeur du programme arriva dans la salle pour dire aux étudiants d'une voix chevrotante que la résidence avait été fouillée de fond en comble et qu'ils pouvaient à présent regagner leurs chambres. Personne ne semblait pressé de quitter la cafétéria.

— Allons, viens, dit Abby, qui posa une main sur le bras de Jordan. Allons dans ta chambre.

— Je peux marcher tout seul.

«Et c'est reparti…» Dan se braqua en prévision de la prise de bec.

Mais Abby ignora son ton.

— Je le sais bien, idiot; tu as des jambes. Mais repartons ensemble de toute façon. Personne ne devrait être seul ce soir.

CHAPITRE
N° 28

Ils rentrèrent en silence, et ce fut d'un pas lourd qu'ils pénétrèrent dans Brookline. «La résidence n'a jamais paru aussi laide, imposante et délabrée», songea Dan. À présent, elle était devenue la scène potentielle d'un meurtre et d'une attaque — sans parler des expériences macabres autrefois cachées entre ses murs.

Jordan ouvrit la marche dans le couloir menant à sa chambre. Tandis qu'il fouillait dans sa poche pour trouver sa clé, Dan se demanda ce qu'Abby allait dire quand elle apercevrait la chambre tapissée des gribouillages mathématiques de Jordan.

Cependant, quand Abby suivit Jordan dans la chambre, il n'y eut aucun halètement de surprise, aucun cri horrifié. La chambre était propre. Il n'y avait aucune trace d'un seul papier jaune en vue : le bureau et le lit étaient dépouillés, et il y avait même quelques affiches sur le mur. Les photographies mutilées étaient également introuvables.

Dan regarda Jordan, mais ce dernier s'était affaissé sur le lit, le regard rivé sur ses pieds. Pendant un instant, Dan mit sa mémoire en doute. Était-il possible qu'il ait imaginé l'état de la chambre? Les photographies? C'était certainement étrange que Yi n'ait fait aucune mention de l'explosion de feuilles de papier à Dan et à Abby quand il avait partagé son inquiétude au sujet de Jordan. Peut-être que Jordan avait nettoyé sa chambre dans le but délibéré de faire flipper Dan. Après tout, il avait vu ces deux photographies qu'il avait endommagées. En réfléchissant, Dan se dit alors que Jordan avait peut-être même caché la photo raturée du directeur.

Mais est-ce que Jordan pouvait réellement être derrière toute la merde qui lui arrivait ? Dan se posait la même question pour la deuxième fois ce soir-là.

Abby déposa une bouilloire sur la plaque chauffante de Jordan, puis rejoignit son ami sur le lit.

— OK, je sais que nous avons tous un peu la frousse et que nous sommes un peu perdus en ce moment, mais il faut que je vous dise quelque chose, dit-elle.

Elle poussa une mèche de cheveux derrière son oreille et prononça en douceur ses prochaines paroles avec cette gravité délicate que Dan trouvait si attachante.

— Ma tante Lucy est toujours en vie.

Une Lucy adulte ? Ainsi, elle n'était pas morte des suites de sa chirurgie ?

— Mais comment as-tu…? commença Jordan sans terminer sa phrase.

— Tu te demandes comment je l'ai découvert ? dit simplement Abby.

Dan voulait le savoir aussi. Manifestement, Abby avait procédé à sa propre enquête — un fait qu'elle avait dissimulé avec une adresse incroyable. Ils avaient donc ce point en commun.

— Vous savez, cette petite église sur la route vers Camford ? demanda Abby. Dan et moi sommes passés devant en nous rendant au resto, l'autre soir, et je me suis dit qu'ils auraient peut-être son nom dans leur registre. Enfin, en supposant qu'elle était venue ici quand elle était enfant, j'ai présumé qu'elle n'aurait pas pu disparaître très loin après la fermeture de Brookline.

— OK...? dit Dan, étonné par son calme rationnel.

— J'y suis allée hier, durant l'après-midi. Le pasteur était dans son bureau. C'est un vieil homme sympathique. Il est même plus petit que moi. Et il s'est montré très utile. Je lui ai dit que je cherchais de l'information sur ma tante disparue à Camford vers la fin des années 1960. Il a sorti ce vieux registre à propos des baptêmes, et nous avons entrepris un examen des noms.

Jordan était atterré. Dan espérait mieux le cacher, mais il ressentait la même chose.

— Et son nom était là, en 1973. Elle a été baptisée en même temps qu'un groupe d'enfants de l'orphelinat de Camford alors qu'elle avait 13 ans. L'orphelinat a fermé ses portes depuis longtemps. Mais l'important, c'est de savoir qu'elle est sortie d'ici en vie et est demeurée à Camford. Comme je l'avais dit. Et voilà!

— Oh, mon *Dieu*, tu l'as bien retrouvée. Lui as-tu parlé? lâcha Jordan.

— Non, je ne l'ai pas tout à fait retrouvée. Pas encore, du moins.

— Ça fait beaucoup d'informations à absorber, dit Dan. Enfin... es-tu convaincue que c'est bien elle? Tu es certaine qu'il s'agit de ta tante?

— Je n'en ai pas le moindre doute, répondit Abby. Le nom... le lieu... l'époque... Connaissez-vous le principe du rasoir d'Ockham? Selon ce principe, quand plusieurs explications possibles s'offrent à vous, la plus simple est probablement la bonne.

— Qui es-tu, et qu'as-tu fait d'Abby ? demanda Jordan, et Dan rit avant de pouvoir s'en empêcher.

Mais quand Abby continua de les fixer, Jordan finit par balancer les bras et hausser les épaules.

— Oh, puis merde. Après tout ce qui est arrivé, je suis prêt à croire à peu près n'importe quoi.

Dan était du même avis. Ils avaient dépassé l'étape des coïncidences depuis longtemps. Et peut-être qu'Abby et Jordan pourraient l'aider à imbriquer les morceaux de son propre puzzle, maintenant qu'ils se montraient tous si honnêtes.

— Écoutez, les amis, j'ai quelque chose à vous dire, moi aussi. Je...

Il perdit courage. Jamais il ne serait aussi hardi et ouvert qu'Abby.

— J'ai effectué une recherche en ligne sur Brookline, dit-il avant de prendre une inspiration profonde pour se concentrer. Yi m'a dit que lorsque Félix a découvert Joe, il était placé dans une position étrange. Puis, ce soir, quand j'ai trouvé Yi dans l'escalier, il était placé bizarrement, lui aussi. Normalement, ça n'aurait pas d'importance, mais un type est mentionné sur une page que j'ai trouvée en ligne... Un patient qui était aussi un meurtrier. Un meurtrier en série. Il tuait les gens, puis il les installait dans un tableau vivant, les plaçant comme des statues...

Puis, Dan se souvint des mots exacts de la page :

Selon le rapport, les victimes dans une pose de danse avaient un air particulièrement convaincant.

— Dan, qu'essaies-tu de dire ? demanda Abby.

— On le surnommait le Sculpteur, et il a été interné ici, à Brookline. J'ai... aussi trouvé sa fiche dans l'ancienne aile. La fois où Joe nous a surpris. Selon sa fiche, il a été guéri, mais d'après le site Web, personne ne sait ce qui lui est arrivé. Et s'il rôdait toujours dans les parages? Enfin, ce serait logique, n'est-ce pas? Comme tu l'as dit au sujet de Lucy, pourquoi partir loin quand il peut simplement se servir de son ancienne résidence comme d'un terrain de chasse?

Dan aurait aimé formuler sa pensée différemment. L'idée d'être traqué par ce monstre... Mon Dieu, était-il possible que le *Sculpteur* soit celui à ses trousses? Avait-il appris d'une façon ou d'une autre qu'un jeune collégien avait le même nom que le directeur — l'homme qui avait effectué des expériences bizarres sur lui?

— Tu dois en parler aux policiers, dit Jordan.

— Pour leur dire quoi? Qu'un homme soigné ici il y a des années est de retour pour assouvir sa vengeance?

L'idée paraissait encore plus absurde une fois prononcée à voix haute.

— Pourquoi me croiraient-ils?

— Je me fiche qu'ils te croient ou non! cria Jordan.

Il se dirigea d'un pas furieux vers la porte, qu'il ouvrit toute grande.

— Yi a été attaqué. Mon *compagnon de chambre* a été attaqué. Joe a été *tué*. Tous les détails et toutes les informations susceptibles d'aider... Nous devons en parler aux policiers; nous le devons à Yi et à Joe.

— Jordan a raison, dit Abby, qui adressa un sourire compatissant à Dan. Tu n'es pas du tout obligé de mentionner l'ancienne aile.

C'était tout comme si elle lisait dans son esprit. Il se sentit un peu coupable parce qu'elle connaissait la vraie raison pour laquelle il hésitait à aborder les policiers.

Dan opina finalement de la tête.

— Tu as raison. Je pourrais simplement les diriger vers les informations que j'ai trouvées en ligne.

«Et non pas vers moi. Pas vers Daniel Crawford.»

— C'est déjà quelque chose, du moins, acquiesça Abby. Allons trouver un agent tout de suite pour en finir.

Ils mirent peu de temps à trouver un policier qui montait la garde dans le couloir. Abby et Jordan flanquèrent Dan, comme s'ils craignaient qu'il rebrousse chemin.

— Pardon, fit Dan d'un ton un peu penaud.

Les policiers l'avaient toujours rendu nerveux, même quand il n'avait rien fait de mal. L'agent se retourna. Le nom brodé sur son uniforme indiquait «Teague». Il était petit, mais ses épaules étaient larges, et il avait une moustache brune qui commençait à grisonner.

— Pardon? Allô. Je suis un étudiant du programme ici… Je voulais simplement vous communiquer un renseignement, Monsieur l'agent.

— Oh. Et de quoi s'agit-il? demanda le policier, qui croisa les bras sur sa poitrine.

— Eh bien… Voilà, je faisais de la lecture sur Brookline en ligne. Par curiosité, vous savez, pour en savoir plus sur l'école et tout.

— Un tueur en série a vécu dans l'asile, lâcha Jordan.

«Impossible de revenir en arrière, maintenant.»

— Je t'écoute, fit Teague en acquiesçant de la tête.

Toutefois, Dan devinait déjà que c'était inutile. L'agent avait cette expression sur son visage, cette expression de scepticisme où un sourire n'était pas un sourire, mais un indice subtil du fait que même si l'homme écoutait, il n'allait pas prendre au sérieux ce que des étudiants effrayés allaient lui dire.

En prenant soin d'écarter les détails acquis lors de ses visites au sous-sol, Dan relata au policier tout ce qu'il avait appris sur le Sculpteur. Il mentionna la similitude entre les meurtres survenus dans les années 1960 et ce qui était arrivé à Joe — et maintenant à Yi.

— J'en prendrai note, fit Teague quand Dan termina son récit.

— Vous n'avez pris aucune note, lui fit remarquer Jordan d'un ton acerbe.

— *J'en prendrai note.*

L'agent fixa Jordan longuement et froidement avant de lancer :

— Écoutez, j'ai vécu à Camford toute ma vie. Nous sommes au courant de l'existence du Sculpteur, d'accord? Impossible de grandir ici sans entendre parler des fous qui ont été envoyés ici — *surtout* quand il est question de cet homme. Dennis Heimline. C'est un nom que je n'oublierai jamais.

Il tira sur le bord de son uniforme et se pencha plus près de Dan.

— Il est mort en 1972, la même année où l'hôpital a été fermé.

Mort? Sal Weathers avait-il fait erreur? Dan n'était pas certain de savoir en qui il avait le moins confiance : un type dément qui s'autoproclamait historien ou un policier local. Mais il aurait été logique que le service de police garde la trace de Heimline.

— Il peut s'agir d'un imitateur, suggéra Dan. Ce n'est pas difficile de trouver de l'information sur le Sculpteur en ligne.

N'importe qui pourrait chercher les détails et tenter de repro-
duire les crimes.

L'agent poussa un soupir et agita une main en signe de
rejet.

— Écoute, le jeune, nous avons l'homme d'hier soir derrière les barreaux. Ce qui est survenu ce soir? C'était un acci-
dent. Le garçon a glissé et est tombé, c'est tout. Alors, ceci?
dit-il en les désignant de la main. Ce que vous faites, c'est
parler sous le coup de la peur. Vous devriez consulter l'un des
conseillers et cesser votre chasse aux fantômes.

CHAPITRE
N° 29

L es cours du lendemain furent annulés, si bien que Dan passa une majeure partie de la journée sur la place publique à observer les étudiants qui quittaient le programme. Plusieurs amis d'Abby avaient choisi de partir, et elle souhaitait que Dan et Jordan soient présents alors qu'elle leur faisait ses adieux. Dan ne s'était pas attendu à ce que cette tâche simple l'épuise à ce point, mais le fait de se tenir là, tandis que des étudiants lui jetaient des regards effrayés ou de pitié un par un lui mit réellement les nerfs en boule. Tous ceux qui partaient affichaient leurs pensées clairement : ils le trouvaient dément de poursuivre le programme.

Félix choisit aussi de rester. Dan fut heureux d'avoir sa compagnie. Il ne pouvait s'imaginer dormir seul dans sa chambre.

Exténué par sa longue journée, Dan se serait attendu à s'endormir tout de suite cette nuit-là. Mais même si son corps était fatigué, son esprit était agité. Il ne cessait de s'éveiller et de s'assoupir et finit par dormir par périodes d'une demi-heure.

Finalement, le réveil sur sa table de chevet indiqua qu'il était 2 h 57. Félix ronflait dans le lit voisin. La fenêtre ouverte laissait filtrer la brise fraîche qui faisait virevolter les rideaux. Quand il comprit que jamais il ne trouverait le sommeil cette nuit-là, Dan décida d'aller se chercher une collation aux machines distributrices. En prenant soin de ne pas faire de bruit, il se glissa hors du lit, enfila une chemise de flanelle et ramassa son téléphone et son portefeuille. Il décida de garder son pantalon de survêtement en se disant que si un policier l'apercevait, il aurait l'air moins suspect s'il paraissait arriver tout droit du lit. Il pourrait même prétendre être somnambule.

Il referma la porte en douceur et s'avança dans le couloir. Pas un policier en vue... Sur la pointe des pieds, il descendit l'escalier jusqu'au rez-de-chaussée en s'intimant de ne pas penser à Yi ou à Joe. Il jeta un coup d'œil dans le corridor, mais encore une fois, il ne vit aucun policier. Où se trouvaient-ils tous? Il venait d'atteindre les machines distributrices et pêchait de la monnaie de sa poche quand une main lourde se posa sur son épaule. Il se retourna vite et poussa un soupir. Ce n'était que Jordan.

— Tu m'as fichu une sale trouille, Jordan.

Et c'était peu dire. Dan appuya une paume contre sa poitrine et y sentit le martèlement de son cœur.

— Désolé, mon vieux. Ce n'était pas mon intention. Je pensais que tu savais que c'était moi. De toute façon, pourquoi voulais-tu me voir? chuchota-t-il.

— De quoi parles-tu? demanda Dan, confus.

— Tu m'as invité ici...? fit Jordan d'un ton irrité. Je pensais que c'était *important*.

— Non, je ne t'ai pas du tout...

— Il est 3 h du fichu matin. Je ne suis pas d'humeur à plaisanter, marmonna Jordan. Au moins, viens dans ma chambre. Je ne veux pas me faire pincer par les policiers.

Quand ils regagnèrent la sécurité de sa chambre, Jordan brandit son téléphone. Il l'ouvrit et montra à Dan le message dans sa boîte de réception. Comme de fait, elle contenait un texto provenant du numéro de téléphone de Dan qui demandait à Jordan de venir à sa rencontre près des machines distributrices à 3 h pour discuter d'un sujet urgent.

— Satisfait? demanda Jordan.

Que pouvait-il dire? Dan regarda le message en clignant des yeux, le cœur lourd. Il n'avait absolument aucun souvenir d'avoir envoyé ce texto; en fait, il n'avait même pas songé à inviter Jordan — ou qui que ce soit d'autre, d'ailleurs — à venir le rejoindre. Il avait décidé d'aller se chercher une collation à peine quelques minutes plus tôt. Comment aurait-il bien pu planifier cette rencontre?

— Je te jure, Jordan, que je n'ai pas envoyé ce message, dit-il d'un ton maintenant suppliant.

— Vérifie ton téléphone.

— *Quoi?*

— Vérifie-le. Maintenant. Je veux voir ta boîte de messages envoyés.

Il tendit une main ouverte dans l'attente que Dan présente son téléphone.

— Je ne sais pas ce que ça prouvera, marmonna Dan.

Mais il se remémora les courriels étranges qui étaient apparus sur son téléphone et ne fut donc pas étonné de trouver le message dans son dossier de messages envoyés. Ça n'avait pas d'importance, parce qu'*il ne l'avait pas envoyé*. Il en était certain. Mais Jordan ne le croirait pas.

— Quelle connerie, Dan! siffla Jordan.

Il ôta ses lunettes pour se frotter les yeux avec ses paumes.

— Je ne peux vraiment pas gérer ce petit jeu auquel tu joues en ce moment, peu importe ce que c'est. Yi est hospitalisé, je dors seul dans ce dépotoir qui me fiche la trouille. Et là, tu… Je me fiche de ce que tu fais! lança Jordan en se grattant la tête. Je pense que tu devrais t'en aller, maintenant. J'ai besoin de dormir.

Soudain, convaincre son ami devint plus important que tout pour Dan. Il avait *besoin* que quelqu'un lui dise qu'il n'était pas en train de perdre l'esprit.

— Jordan, tu dois me faire confiance. Je n'ai pas envoyé ce message. Je ne sais pas qui l'a fait, mais…

Dan examina de nouveau son téléphone. Puis, il fixa celui de Jordan, qui aurait tout aussi bien pu être greffé à sa paume, puisque ce dernier n'allait nulle part sans lui. Pouvait-il être celui derrière tous les messages inexpliqués?

Non, c'était une idée ridicule. Impossible… Dan se raccrochait à n'importe quoi maintenant et cherchait à jeter le blâme sur quelqu'un. «Sur quelqu'un qui n'est pas toi», se dit-il.

— Mais comme le message se trouve dans ton téléphone, tu me débites des conneries. Pourquoi te donnes-tu même la peine de le nier? demanda Jordan. Dans quel but?

— Écoute… C'est stupide. Je ne t'ai pas envoyé ce texto. Je retourne au lit.

— Ouais, c'est ça, prends la fuite, Dan. C'est très mature.

Dan quitta la pièce avec un souffle de frustration. Les couloirs jusqu'à sa chambre étaient vides; il n'y avait pas de policiers ni de surveillants. Quand il déverrouilla sa porte et entra dans sa chambre, il sut immédiatement que quelque chose clochait.

Félix n'était pas là.

Avant qu'il ne puisse prendre connaissance des faits, le téléphone bondit dans sa main, vibra et s'alluma. Dans sa surprise, il faillit le lancer à bout de bras. Il examina l'écran en espérant que le message provienne de Jordan ou d'Abby. Au lieu de ça, il s'agissait d'un numéro inconnu. La main de Dan trembla quand il ouvrit le message.

Tu peux devenir l'un d'entre eux. Tu peux être immortel. Tu peux te plier, te donner une pose avec un sourire suffisant ou un froncement de sourcils. Je t'attends au cinquième étage, Daniel, pour te sculpter.

— Jamais de la vie, chuchota Dan.

Il rapprocha le téléphone de son visage, comme si le fait de le lire d'un angle différent allait changer les mots d'une manière ou l'autre.

«Tu n'iras pas là-bas, bien sûr. Tu vas agir de façon intelligente et montrer ce message aux policiers. Quelqu'un essaie de t'emmerder», se dit-il.

Félix resurgit dans son esprit. Où était-il? Dan eut un mauvais pressentiment. Félix s'était probablement réveillé, et après s'être rendu compte que son compagnon de chambre n'était pas là, il avait dû se mettre à sa recherche. Mais s'il était accidentellement tombé sur le Sculpteur à la place? Était-il possible que Félix *soit* au cinquième étage? Dan devait le retrouver avant qu'il soit trop tard.

Sa décision prise, Dan n'allait pas se montrer stupide; il trouverait un policier pour l'accompagner, même si la police croyait que le Sculpteur était mort. Il détenait une preuve du fait que le Sculpteur était bel et bien vivant et s'en prenait à lui.

«N'importe qui aurait pu rédiger ce message», lui rappela une sale voix dans sa tête. «Tu as toi-même dit qu'il s'agissait peut-être d'un imitateur...»

Dan se dit alors que peu importe ce qu'il en était vraiment, cette personne était responsable de ce qui était arrivé à
Joe et Yi. Qu'il s'agisse de l'original ou un imitateur, il allait
découvrir qui se cachait derrière toute cette histoire.

Cependant, quand Dan quitta sa chambre pour une
deuxième fois cette nuit-là, il remarqua qu'il n'y avait toujours
pas de policiers dans les couloirs. Il vérifia le deuxième étage,
puis le premier, et il revint sur ses pas jusqu'aux machines
distributrices. Il devait y avoir une urgence en ville ou un truc
du genre. Le service de police de Camford n'était pas exactement énorme. Dan fit un dernier tour du rez-de-chaussée,
mais le silence régnait. Son temps était écoulé. Il lui faudrait
se rendre au cinquième seul ou risquer que Félix soit la prochaine victime.

Dan gravit les marches à la course et espéra faire assez de
bruit pour réveiller quelqu'un. Peut-être que les policiers se
trouvaient déjà au cinquième étage. Mais quand il parvint au
haut des marches et tourna le coin, Dan sut que ce n'était
rien de plus qu'un espoir ridicule. L'étage était silencieux, et
quelqu'un avait coupé l'alimentation électrique de l'éclairage.

Dan tâtonna le mur à la recherche d'un panneau de commutateurs, mais il ne trouva qu'un interrupteur.

Dehors, le vent gémit, et les avant-toits au-dessus, vieux et
probablement en état de pourriture, grognèrent en réaction.
Dan passa une porte à la droite et serra les poings pour combattre le fourmillement des nerfs au bas de son dos. Il disposait de juste assez de lumière pour constater que la pièce était
vide. La pièce suivante l'était aussi, de même que la suivante
et celle d'après. Mais soudain, Dan entendit une voix dans la
dernière pièce et se dirigea furtivement vers celle-ci.

— Je t'en prie... Je... je t'en prie, ne me fais pas de mal.

Félix...

Il hâta le pas.

— S'il... te plaît...

Félix avait parlé encore une fois. Dan n'avait jamais entendu quelqu'un geindre de la sorte : c'était un jeune homme réduit à l'état d'un petit garçon effrayé.

Dan marcha le plus silencieusement possible. Si quelque chose allait annoncer sa présence, ce serait son souffle laborieux. Sa gorge s'était resserrée à un point tel que chaque inspiration d'air était accompagnée d'un sifflement.

Pressé contre le mur, il étira la tête au-delà du coin, redoutant ce qu'il allait découvrir. Malgré toutes ses appréhensions, jamais il n'aurait cru apercevoir un homme mesurant 1,90 m qui empoignait un pied-de-biche. L'homme se tenait au-dessus du corps effondré de Félix.

Dan avait dû émettre un bruit, parce que l'homme se retourna pour le regarder en faisant passer le pied-de-biche d'une main à l'autre. Il portait des gants noirs. Dan était incapable de les quitter des yeux. Les meurtriers enfilaient des gants noirs.

«Fais quelque chose.»

Dan n'avait jamais eu le profil d'un héros ou d'un athlète, mais un instinct qu'il ne reconnaissait pas — un instinct qui s'élevait d'un puits profond de colère — le poussa à se précipiter dans le salon. Il passa à l'attaque en poussant un cri. Dans son esprit, il avait pris une allure de Rambo quand, en réalité, il devait ressembler à un buffle ivre. Ça n'avait pas d'importance. Dans l'étonnement, l'homme au pied-de-biche tituba derrière et s'effondra sur le sol quand Dan le percuta avec force. Dan entendit un craquement sourd et espéra que son poids avait réussi à casser une ou deux côtes de l'intrus.

Il releva un genou afin de l'enfoncer là où ça ferait vraiment mal, mais l'homme para à l'attaque avec un coup de pied. Des mains dures comme de l'acier se refermèrent sur les avant-bras de Dan et les écartèrent. Dan ne coinçait plus l'homme sur le sol. L'homme roula sur lui-même et poussa Dan sur le plancher.

— Espèce de petite merde, siffla-t-il.

— À l'aide! hurla Dan aussi fort qu'il put.

Mais comme l'homme appuyait si lourdement les mains contre la poitrine de Dan, son cri ressembla à un murmure.

La tête de Dan percuta la moquette, qui avait ni plus ni moins l'épaisseur d'une feuille de papier sur le béton, à en juger par le degré de la douleur endurée.

Sa vision s'embrouilla; des tons de noir, de bleu et de pourpre se mêlèrent, indissociables. Les jeux étaient faits. Il allait mourir. Le temps sembla ralentir; les instants se séparèrent comme des touffes de coton qu'on étirerait toujours plus jusqu'à ce qu'il entende des cris et le bruit de pas martelant le sol à l'autre bout du couloir.

— Bordel! s'écria l'homme.

Il bondit sur ses pieds pour se précipiter vers une fenêtre ouverte par laquelle il disparut juste avant que deux policiers surgissent dans le salon, armes au poing.

Leurs voix rebondirent dans l'espace en sourdine, comme si le cerveau de Dan s'était transformé en une chambre d'écho vide. Il tenta de s'asseoir, mais sa tête était simplement trop douloureuse. Il retomba contre le sol.

— Peux-tu m'entendre? Hé! Est-ce que ça va? T'es-tu cogné la tête?

Il dirigea son regard vers l'agent : Teague.

— Est-ce que ça va ? Peux-tu te lever ?

Ça restait à voir. À tout le moins, sa vision commençait à se corriger. Dan essaya d'opiner. « Aïe », se dit-il. « Mauvaise idée. »

— La fenêtre, articula-t-il avec difficulté pour essayer d'indiquer aux policiers par où l'homme s'était échappé.

— Appelle une ambulance, ordonna un agent agenouillé près de Félix à son partenaire. Ce garçon doit se rendre à l'hôpital. Il a été frappé.

Une couverture apparut de nulle part, et le policier l'enroula autour de Félix.

— Il faut prévenir l'état de choc.

Une autre couverture vint couvrir les épaules de Dan.

— Je vais… bien, insista Dan. L'homme… par la fenêtre.

L'instant d'après, Teague l'aida à se lever. Les policiers lui donnèrent le temps de retrouver l'équilibre, et la douleur à sa tête diminua graduellement tandis qu'ils attendaient l'arrivée des auxiliaires médicaux.

L'ambulance arriva, et on plaça Félix sur une civière. Il remua tandis qu'ils quittaient tous la pièce et essaya de s'asseoir. Bientôt, Dan entendit les sirènes de l'ambulance qui s'éloignait.

Dan se tint sur ses jambes chancelantes pendant que les policiers prenaient en note son nom, le numéro de sa chambre et les coordonnées de ses parents.

— Le type est en train de fuir, dit Dan d'un ton désespéré. Vous pouvez encore le rattraper si vous le poursuivez maintenant. Il se trouve probablement encore sur le toit.

L'un des agents se précipita vers la fenêtre et jeta un regard à la ronde dehors. Finalement, il se retourna vers eux avec un haussement d'épaules.

— Il n'y a personne dehors, dit-il. Et nous sommes à au moins 15 mètres du sol.

— Il est là, dehors ! cria Dan.

— Holà, holà. Calme-toi, mon garçon, dit Teague. Commence par le début. Pourquoi es-tu ici en premier lieu ?

Teague sortit un carnet et un crayon.

Dan aurait voulu pleurer.

— Je me suis levé pour aller aux toilettes, dit Dan, qui ne voulait pas mentionner sa rencontre avec Jordan et le texto mystérieux. Quand je suis revenu dans ma chambre, Félix n'était plus là. Il est à bout de nerfs, dernièrement. C'est lui qui a trouvé Joe dans l'escalier… Le Sculpteur m'a envoyé un poème étrange qui disait qu'il allait me *sculpter* si je venais à sa rencontre au cinquième. J'ai craint que Félix soit avec lui, alors je suis monté à sa recherche. Je ne voulais pas qu'il erre seul dans la nuit.

— Hum-hum, fit Teague.

Il fit signe à Dan de poursuivre son récit, mais alors, une agente, la troisième, s'approcha d'eux. Elle tendit un téléphone à Teague, le téléphone de Félix.

— Je pense que tu devrais y jeter un œil, dit-elle. Et tu dois confisquer le téléphone de ce jeune.

Dan déglutit, un nœud dans la gorge. La sensation chaude et dégoûtante d'appréhension était assez forte dans son ventre pour lui donner l'envie de se plier en deux et de vomir. Les deux policiers le dardèrent du regard et attendirent.

— Que contient le téléphone de Félix ? demanda Dan en trébuchant sur les mots.

À quel moment la pièce était-elle devenue si chaude ? Il suait à grosses gouttes.

— Je vous en prie, je suis certain que je peux vous donner une explication si…

— Ouais, j'en suis *certain*. Donne-moi ton téléphone, s'il te plaît.

— Mais…

— Ton *téléphone*, fit Teague, les yeux plissés. Je ne te le redemanderai pas.

Il était inutile de protester. Peut-être valait-il mieux que ça se passe ainsi. Sa boîte d'envois contenait sûrement un message disant quelque chose comme : « ALLÔ, FÉLIX. J'AIMERAIS BEAUCOUP TE DÉFONCER LE CERVEAU AVEC UN PIED-DE-BICHE. » D'une manière ou l'autre, le pire surviendrait. Puis, on l'emprisonnerait. Au moins, à la prison, il ne pourrait pas s'attirer d'autres ennuis. On le laisserait seul avec ses pensées, qui suffiraient à l'anéantir sans qu'un procès soit même nécessaire.

Puis, Dan se souvint du message reçu de la part du Sculpteur, qui se trouvait dans sa boîte de réception. Les policiers n'auraient d'autre choix que de le croire. Et ils pourraient retracer le numéro de téléphone !

Dan tendit son téléphone à Teague. Le cauchemar prendrait bientôt fin.

Teague trouva rapidement sa boîte d'envois.

— Bingo, dit-il d'un ton triomphal. « Salon du cinquième à 3 h 30. J'ai quelque chose de génial à te montrer. »

Il fit claquer sa langue doucement.

— Exactement ce qui se trouvait sur le téléphone de Félix. Le message est plutôt amical, le jeune. Qu'est-ce qui a dégénéré ?

— Je n'ai pas envoyé ce message, s'emporta Dan avec colère. Ce n'est pas moi. Je vous jure que…

— Ai-je l'air d'un idiot ? demanda Teague.

— Regardez dans ma boîte de réception ! lança Dan. Je vous ai dit qu'elle contenait un message de la part du Sculpteur qui me demande de venir à sa rencontre ici !

Teague le toisa d'un air curieux, mais il cliqua sur la boîte de réception. Une pause s'ensuivit.

— Il n'y a rien dans la boîte, petit. Aucun message mystérieux. Et comme je te l'ai dit plus tôt, le Sculpteur est mort.

La situation s'envenimait chaque seconde. Le devant de la chemise de Dan était trempé de sueur. Il aurait voulu se rouler en boule et disparaître.

— Pourquoi ne me dis-tu pas ce qui est réellement arrivé ? demanda le policier.

Dan prit une profonde inspiration.

— Pour être honnête, je ne le sais plus, dit-il.

Teague plissa les yeux.

— J'ai essayé de trouver un policier avant de monter au cinquième étage, mais il n'y avait personne dans les parages.

— Mon garçon, il y a des policiers sur chaque étage.

— Il n'y en avait pas quand j'ai quitté ma chambre ! cria Dan. Tout ce que je sais, c'est que quand je suis arrivé au cinquième, j'ai entendu Félix crier à l'aide. Alors, je suis venu ici, et il y avait un type costaud qui tenait un pied-de-biche. Je me suis précipité sur lui.

— Continue, dit Teague.

— Nous étions en train de nous battre, puis je vous ai entendus arriver, et il a sauté par la fenêtre.

Dan pointa vers celle-ci encore une fois et se sentit particulièrement stupide.

Teague observa Dan, puis secoua lentement la tête.

— D'accord, petit, suivons ton récit pour l'instant. Disons qu'il y a un homme mystérieux qui s'est échappé par la fenêtre du cinquième après avoir attaqué ton meilleur ami. As-tu déjà aperçu cet homme ?

— Jamais, répondit Dan, qui regarda Teague droit dans les yeux.

Le policier hésita. Il toisa Dan de la tête aux pieds, puis il se mordit l'intérieur de la joue.

— Tu sais, ce qui est bizarre, c'est que j'ai presque envie de te croire. Soit tu te trouves au milieu d'une foutue machination, soit tu es fichtrement bon menteur. De toute manière, je te suggère de ne pas faire de vagues jusqu'à ce que nous puissions nous asseoir pour discuter de nouveau de cette affaire. Je ne t'amènerai pas au poste pour le moment, mais je le ferai si c'est nécessaire. D'ici là, un agent te suivra en tout temps.

— Attendez…

— En *tout* temps.

Teague glissa l'index sur son nez avant de le pointer vers Dan.

— Tu me comprends ?

— Oui, Monsieur, murmura Dan.

Teague rajusta sa casquette et opina de la tête d'un air satisfait. Dan sentit à peine la poigne de l'agent affecté à sa surveillance. Félix allait passer la nuit à l'hôpital, où un policier attendrait patiemment de pouvoir l'interroger tandis qu'un agent ramenait Dan à sa chambre en le malmenant. Une sensation d'effroi vint engourdir son corps.

— Je serai juste dehors, lui annonça son geôlier, alors ne fais pas le malin.

Dan ne fut pas sans remarquer l'ironie liée au fait que sa chambre serve de cellule.

Toute la nuit — toute la *journée* — semblait avoir été un rêve, à présent. Les caractéristiques s'effacèrent, les détails disparurent. À quoi ressemblait l'homme au pied-de-biche? Il ne pouvait plus s'en souvenir, maintenant. Félix serait-il en mesure de corroborer le récit de Dan? Il l'ignorait. Il lui faudrait attendre pour le savoir.

Il se mit au lit sans sentir le matelas ni les couvertures. C'était étrange de penser qu'il était un suspect — que les policiers croyaient qu'il était l'agresseur de Félix. Croyaient-ils qu'il avait aussi attaqué Yi et — oh, mon Dieu, non! — tué Joe? S'ils apprenaient sa perte de conscience dans le sous-sol, que diraient-ils? Toutes les preuves se liguaient contre lui.

De l'autre côté de la porte, il entendit le policier arpenter le couloir lentement.

«Je dois me battre», songea Dan, qui ferma les yeux très fort.

Un tourbillon s'éleva dans son esprit. Pourquoi le Sculpteur se serait-il armé d'un pied-de-biche? C'était une arme contondante, maladroite. Le Sculpteur était plus rusé — et cruel — que cela. Dan fut effrayé de parvenir à cette conclusion si facilement. Il ne connaissait pas l'homme, mais il commençait à comprendre, ou du moins à reconnaître sa malveillance. Qu'est-ce que ça dévoilait sur lui?

«La folie est relative. Elle dépend de qui a enfermé qui dans quelle cage.»

Dan se roula sur le côté, le regard fixé sur l'horloge. S'il s'agissait d'une lutte contre la folie, il craignait d'être en train de la perdre. Et peut-être avait-il déjà perdu la partie.

— Je suppose qu'il s'agit là de ton escorte policière ? demanda Abby, les yeux écarquillés de fascination.

— Ouais.

Dan n'avait pas besoin de regarder par-dessus son épaule pour savoir que l'agente Coates — c'était là son nom — se tenait à un mètre derrière lui.

— Dis, qu'est-il arrivé, la nuit passée ? demanda Jordan.

Au-dessus de ses épaules, la lumière matinale filtrait par les fenêtres de la cafétéria. Normalement, la file pour les crêpes s'étalait jusqu'à l'extérieur de la porte d'entrée, mais elle était considérablement plus courte ce matin-là. Près du tiers des étudiants avaient quitté le programme.

— *Après* que tu m'aies envoyé un texto, je veux dire.

— Je ne t'ai pas envoyé de texto, répondit Dan automatiquement.

Réfléchir était douloureux. Il avait à peine fermé l'œil. Sa tête était bouchée comme si elle avait été bourrée de laine. Il avala tout rond son deuxième café et envoya la main à l'agente Coates. Elle roula des yeux.

— Je suis perdue, admit Abby, qui leva une main. Il t'a envoyé un texto, oui ou non ?

— Jordan a reçu un message de ma part, et le message se trouvait dans mon téléphone, mais je ne me souviens pas de l'avoir envoyé… parce que je ne l'ai pas envoyé.

Ses paroles paraissaient si ridicules qu'il ne pouvait en vouloir à Abby d'être sceptique.

— Non, fit-elle. Je suis toujours perdue.

— Moi aussi.

Avec sa fourchette, Dan divisa sa crêpe en trois morceaux qu'il trempa dans le lac de sirop dans son assiette. Il voulait que la nourriture retrouve son bon goût — que sa vie retrouve un sens.

— En tout cas, la même chose est arrivée avec Félix. Je ne veux pas rentrer dans les détails… Toute cette histoire est un fouillis gigantesque.

— Tu ne veux pas «rentrer dans les détails»? Mais un policier te suit à la trace. Tu ne crois pas que ça mérite une petite explication?

Abby l'observait intensément depuis l'autre côté de la table.

Dan savait qu'il ne s'était pas montré tout à fait franc avec eux. Il ne savait pas vraiment pourquoi il avait agi ainsi. Autant il aimait l'*idée* d'avoir des meilleurs amis à qui il pouvait tout dire, autant il avait l'impression de seulement savoir comment être seul — à part.

— Peut-être que ton téléphone est hanté, dit Jordan d'un ton mordant. Peut-être que nous devrions pratiquer un exorcisme.

— Ne t'inquiète pas, l'interrompit Abby. Tout ça n'est qu'un malentendu, j'en suis convaincue.

«J'aimerais l'être aussi.»

— Ha! Tu demandes à Dan de ne pas s'inquiéter? gloussa Jordan. Tu aurais plus de succès si tu demandais à un canard de ne pas cancaner.

— Merci, les amis. Vous savez toujours quoi faire pour me remonter le moral.

× × × × × ×

Après le déjeuner, Dan se rendit à son cours, escorté par ses amis et l'agente Coates, qui les suivait à une distance de quelques pas.

— Qu'ont-ils peur que je fasse? se demanda Dan à voix haute. Fuir? Pour aller où?

— Ça me paraît un peu excessif, acquiesça Abby, qui jeta un regard à la dérobée à leur ombre. Au moins, elle te laisse de l'espace. Je suis certaine que ça pourrait être pire.

Dan apprécia le fait qu'Abby était déterminée à trouver le bon côté des choses ce matin-là : il avait besoin d'une dose d'optimisme dans sa vie. Ils se séparèrent quand ils atteignirent les édifices académiques. Jordan prit la direction d'un cours de maths, et Abby se dirigea vers le bâtiment des arts.

Dan était mal préparé à l'humiliation liée au fait d'assister à un cours avec une escorte armée. L'agente Coates se posta à l'extérieur de la classe, mais malgré tout, il sentit la brûlure de regards accusateurs sur lui. Les étudiants restants pointaient vers lui et chuchotaient sans la moindre subtilité. Dan ne pouvait rien faire d'autre que de garder la tête basse, prendre des notes et tenter de ne pas brûler d'embarras. Sa situation ne s'améliora pas quand on lui passa une note qui indiquait : «Rentre chez toi, le détraqué.»

Au milieu du cours, Dan perdit toute concentration. Il écouta les paroles du prof sans vraiment les comprendre, et sa main continua de bouger sur le papier sans qu'il ait la moindre idée de ce qu'il écrivait.

À la fin du cours, Dan passa en revue ses notes et se mordit les lèvres pour ne pas crier. Les dernières phrases n'étaient pas rédigées dans son écriture normale; il reconnut la calligraphie en pattes de mouche immédiatement. «L'écriture du directeur», se dit-il. Il ne suffisait plus que le directeur hante ses pensées; il fallait qu'il envahisse maintenant son *corps*. Il ramassa ses affaires à la vitesse de l'éclair et se précipita hors de la classe. Il lui fallait inspirer de l'air frais, sans quoi il allait être malade.

L'agente Coates patienta sous le soleil, et deux autres policiers, dont l'agent Teague, se tinrent à ses côtés. Là, bavardant avec les policiers, se trouvaient les deux dernières personnes que Dan s'attendait à voir.

— Maman? Papa?

Dan serra son sac à dos contre sa poitrine.

— Mon chéri!

Sa mère se hâta vers lui pour le serrer dans ses bras. Il fut surpris de constater à quel point ce câlin était agréable, et il eut de la difficulté à relâcher son étreinte. Une partie de lui aurait voulu pleurer.

— Tu vas bien, dit Sandy en l'étreignant plus fort. Tu vas bien, tu vas bien.

— C'est bon de te voir, maman, dit-il.

— Allons à l'intérieur, dit Teague, qui pointa le doigt vers un immeuble administratif au bout du sentier. Nous devrions avoir cette conversation en privé.

Le moment que Dan redoutait depuis la nuit dernière était arrivé. Ses parents l'accompagnèrent dans la montée vers le nord, et les policiers suivirent à quelques pas derrière.

Dan tremblait sans pouvoir s'arrêter. Ça ne changeait rien qu'il croie en sa propre innocence ; il serait impossible de convaincre quiconque une fois qu'ils découvraient à quel point il était dérangé...

— Dis-le-nous si nous devons appeler un avocat, mon garçon, lui chuchota son père.

Ils se tenaient devant le bureau d'admission, à présent. Dan fronça les sourcils.

— J'espère qu'il ne faudra pas en arriver là.

— À l'intérieur, je vous prie. Si vous voulez bien me suivre, dit Teague en prenant les devants.

Dan n'était jamais entré dans le bureau d'admission. Il s'en dégageait cette atmosphère de vieux collège vénéré. L'immeuble était doté d'un haut plafond, de fenêtres étroites et de panneaux de bois dans tous les recoins. Un divan de cuir et un fauteuil antique étaient placés dans le hall d'entrée. Dan imagina des étudiants anxieux qui attendaient là en espérant que leur entrevue d'admission se déroule bien. L'idée d'être admis au collège lui paraissait triviale à l'heure actuelle.

Les policiers les escortèrent jusqu'à une petite pièce sur la droite. Teague et ses parents entrèrent les premiers, et Dan ferma la marche. L'agente Coates et un autre policier attendirent à l'extérieur de la salle.

Dan tremblait tellement qu'il eut de la difficulté à s'asseoir sans faire tomber la chaise.

— OK, parlons de ce qui est arrivé hier soir. Pourquoi ne commences-tu pas par le début ? l'encouragea Teague.

Comme ses parents et le policier étaient assis d'un côté de la table de conférence, face à Dan, il eut l'impression de subir une inquisition.

Dan raconta son histoire : il était parti à la recherche de Félix et était tombé sur l'homme au pied-de-biche. Quand il décrivit le moment où l'homme le plaquait contre le sol, il crut que sa mère allait s'évanouir. Enfin, il parvint au moment où les policiers étaient arrivés sur les lieux et l'avaient accusé du pire.

— L'ennui, c'est que je ne me souviens pas d'avoir envoyé ces messages. Je sais qu'ils sont enregistrés dans mon téléphone — je *sais* cela. Et je sais que mon histoire semble ridicule, mais je le jure : je n'ai pas rédigé ces textos.

Ses parents échangèrent un regard inquiet, puis son père se racla la gorge.

— Monsieur l'agent, j'espère que vous n'interpréterez pas mal mes paroles, commença son père d'un air grave, mais vous devez comprendre quelque chose : Dan a toujours, eu... des difficultés, disons-le comme ça. Nous l'avons adopté après qu'il ait déjà vécu dans d'autres familles d'accueil. C'est un garçon formidable depuis, comprenez-moi bien. Mais... eh bien, il a toujours eu besoin d'une petite attention de plus. Quelques visites chez une psychologue...

— Une *thérapeute*, le corrigea sa mère.

— Une thérapeute, acquiesça son père.

Le policier opina plusieurs fois pendant le récit. Dan détestait parler de ceci avec ses parents, mais en présence de quelqu'un d'autre — d'un policier ? C'était franchement embarrassant et, dans ce cas précis, incriminant. Teague lui jeta quelques regards à la dérobée, et il jura voir la mâchoire de l'agent se serrer légèrement pour devenir plus tendue à mesure que la culpabilité de Dan se solidifiait dans son esprit.

— Sa thérapeute nous indique qu'il a quelques ennuis de mémoire...

— Un léger trouble dissociatif, l'interrompit Sandy.

— Mais ce trouble ne l'empêche en rien d'être en santé et de mener une vie normale. Il n'est pas dangereux, Monsieur l'agent. S'il a envoyé des textos à un copain, puis les a oubliés, je suis persuadé que ses intentions étaient parfaitement inoffensives.

Dan agrippa sa chaise et lutta pour garder son calme. Comment pouvait-il dire à ses parents que son état avait dégénéré — beaucoup — en l'espace de quelques semaines ? Comment pouvait-il leur dire qu'il n'était *peut-être pas* totalement inoffensif ?

— Monsieur et Madame Harold, je ne peux faire autrement que de remarquer que Dan ne porte pas votre nom de famille. Pourquoi ?

Ses parents échangèrent un autre regard. Dan aurait voulu qu'une trappe s'ouvre dans le sol, l'aspire et le tue.

— Eh bien, il portait le nom Crawford quand il est arrivé chez nous, dit son père.

— Nous lui avons donné le choix, comme l'avait suggéré notre travailleur social, dit sa mère, sur la défensive. Dan avait déjà vécu avec tant de familles à ce stade. Je crois qu'il voulait garder un élément stable — une partie de lui.

— Hum, fit Teague avant de se tourner pour s'adresser à Dan directement. Es-tu conscient du fait que tu portes exactement le même nom que le dernier directeur de l'asile Brookline ?

Dan opina de la tête et dit :

— J'ai lu à son sujet récemment, oui.

Ses parents, Dieu soit loué, ne dirent rien. Il leur avait posé des questions à ce sujet au téléphone, mais ils gardèrent le silence, peut-être parce qu'ils sentaient, comme Dan, que

Teague voyait ce lien étrange comme une preuve de sa culpabilité.

— Ce n'est pas un nom si inhabituel, dit son père. Et Dieu sait que le prénom Daniel est assez commun.

— Mais que savez-vous des parents biologiques de Dan? demanda Teague, qui quitta enfin Dan des yeux. Il doit bien exister un moyen rapide de vérifier s'il y a un lien de parenté.

— J'ai bien peur qu'une telle vérification soit tout sauf rapide, admit sa mère. Nous n'avons pas du tout accès à ce type d'informations, et il vous faudra l'ordonnance d'un juge pour y accéder vous-même. Mais je ne vois pas en quoi c'est si important. Qu'est-ce que le fait que Dan *ait un lien de parenté avec* ce directeur changerait? Qu'est-ce que ça prouverait?

— Ne croyez-vous pas qu'il s'agit d'une coïncidence plutôt alarmante?

— Je crois qu'une coïncidence n'est *rien de plus* qu'une coïncidence, voilà ce que j'essaie de dire, affirma sa mère d'un ton irrité.

Dan détestait voir ses parents se mettre en colère, même si ça aidait sa situation actuelle.

— Est-ce que…?

Sa bouche était soudain devenue si sèche que parler était difficile.

— Est-ce que le type qui a tué Joe a reconnu son crime? demanda enfin Dan.

Teague le toisa, sidéré.

— En fait, non. Il insiste pour dire qu'il était au mauvais endroit, au mauvais moment. Malgré tout, il avait les biens de la victime et l'arme du crime sur lui, ce qu'il ne peut pas expliquer.

Teague ronchonna et jeta à Dan un regard qui voulait dire : «Compte-toi chanceux.» L'agent posa un coude sur la table entre eux. Il fronça les sourcils, et Dan sut alors qu'il aurait dû se la fermer.

— Pourquoi me poses-tu la question?

— Par simple… curiosité.

Dan espéra pouvoir maintenir sa façade encore quelques minutes. Il eut le pressentiment que s'il n'allait pas au bout de ce mystère maintenant, il en serait hanté pour le reste de ses jours.

C'était jeudi. Il ne restait que 10 jours avant la fin du programme.

— Je veux terminer le programme, dit-il d'un ton calme.

— Nous n'avons pas encore terminé ton interrogatoire, répondit Teague en tirant sur sa moustache. Ta façon de répondre à nos questions déterminera si tu peux rester ici ou non.

— Très bien, dit Dan.

Son père parut prêt à débattre, mais sa mère opina de la tête.

— Nous allons rester en ville, Danny. Au cas où.

Dan n'aurait pu expliquer tout à fait pourquoi il voulait terminer le programme ni pourquoi il *avait besoin* de le faire, alors que tant de raisons auraient dû le pousser à fuir le plus loin possible de ce lieu.

Que Dan ait abouti à Brookline cet été-là n'était pas une coïncidence ; il existait un lien quelque part. Et il allait repartir de Brookline guéri, même s'il devait en crever.

CHAPITRE
N° 31

Heureusement, même si Teague l'interrogea pendant encore trois heures, personne d'autre ne semblait croire que Dan était coupable. Il n'avait aucune raison de chercher à faire du mal à Félix. Il n'avait aucun historique de violence. Et quand les policiers fouillèrent sa chambre, ils ne trouvèrent aucun élément de preuve. Et pour couronner le tout, à l'hôpital, Félix s'était réveillé et avait juré qu'il ne croyait pas que Dan était derrière cette histoire.

Dan était totalement exténué quand les policiers le laissèrent partir. Il raccompagna ses parents à leur voiture et déclina leur invitation à aller dîner avec eux en ville. Il voulait seulement regagner sa chambre.

Dan n'avait pas fait deux pas vers Brookline quand il aperçut la professeure Reyes faire les cent pas devant un cendrier-corbeille. Elle agita sa main qui tenait une cigarette pour l'inviter à venir la rejoindre.

— Tu n'es pas menotté, à ce que je vois, dit-elle en guise de salutation avec un pétillement dans ses yeux bruns brouillés légèrement par le voile fin de fumée qui s'élevait de ses lèvres. C'est une bonne chose. Tes parents semblaient bien inquiets à ton sujet.

Ce jour-là, elle portait un collier composé d'opales qui étaient aussi fines et blanches que des os.

— Je ne suis pas au courant des détails, mais tu as l'air d'un bon gamin.

Elle secoua la tête et pinça les lèvres pour projeter sa fumée vers le ciel et loin de leurs visages.

— Brookline exerce une emprise sur les gens. Ça a toujours été le cas. C'est la prophétie autoréalisatrice de la démence. Si quelqu'un te dit assez souvent que tu es fou, au bout du compte, ça devient la réalité. Comme l'énonce cette vieille blague de psychiatre, «La folie, c'est dans la tête.»

Dan baissa les yeux sur ses chaussures ; il avait envie de lui répondre que non, certaines conditions étaient bien réelles.

— Je ne suis pas certain de comprendre ce que vous dites.

— Tout ce que j'essaie de dire, c'est que les villageois ne veulent pas seulement que Brookline disparaisse en raison de ce qui est arrivé ici il y a 50 ans.

La professeure Reyes laissa tomber sa cigarette sur le sol et la piétina. Le vent se prit dans ses courts cheveux sombres et les fit retomber devant ses yeux.

— Bonne chance, Dan. J'espère que tu n'en auras pas besoin.

× × × × × ×

Abby et Jordan l'attendaient devant la porte de sa chambre. Ils avaient même dérobé une tarte à la cafétéria, cachée sous un coupe-vent : une tarte à la rhubarbe avec de la crème fouettée en extra — sa préférée.

Ils entrèrent dans sa chambre. Abby pointa vers le lit de Dan tandis que Jordan se chargeait de distribuer une pointe à tout le monde.

— Viens t'asseoir, dit Abby. J'ai des nouvelles, et je veux tout savoir sur ta rencontre avec les policiers.

— Merci, dit Dan avant de prendre une bouchée de tarte. Quelle journée infernale !

— Les policiers t'ont passé à tabac ? demanda Jordan.

— Ils se sont montrés corrects, en fait. Mes parents étaient là, ce qui a aidé.

— C'est vrai ? demanda Abby d'un air anxieux. Ils ne t'obligeront pas à partir, n'est-ce pas ?

— Non, je peux terminer le programme. C'est déjà ça. Et Félix m'a sauvé les fesses aussi. Je suppose qu'il a dit aux policiers qu'il ne croyait pas que je représente une menace.

Dan choisit de ne pas leur raconter le reste. En ce moment, il avait besoin que ses amis se rangent de son côté.

— Dan, je suis vraiment désolée, murmura Abby, qui rapprocha sa chaise de lui. Mais au moins, tu n'es pas dans le pétrin. C'est une bonne chose, non ?

— Ouais, ça l'est. Alors, quelles sont tes nouvelles ?

Un sourire illumina le visage d'Abby. Dan était reconnaissant d'avoir une raison de cesser de parler de lui, et elle semblait à deux doigts d'exploser d'excitation.

— J'ai décidé de dire la vérité sur Lucy à mon père, dit-elle en bondissant sur sa chaise. Il est temps qu'il soit au courant du fait que je l'ai retracée. Il mérite de connaître la vérité. Enfin, je voudrais le savoir si j'étais lui, n'est-ce pas ?

— Wow, fit Dan.

Il n'aurait pu dire si c'était l'épuisement qui l'empêchait de partager l'excitation d'Abby ou si c'était autre chose.

— Es-tu sûre que ce soit une bonne idée en ce moment ?

— Quoi ? demanda Abby lentement. Pourquoi ça ne serait pas une bonne idée ? Il s'agit de sa sœur ! J'espère qu'il voudra même m'aider à la retrouver.

— Ne crois-tu pas que cette histoire semble sortie de nulle part ? Tu sais, avec le choc… Et s'il ne te croyait pas ?

— Je paniquerais si j'étais lui. Enfin, ça fait si longtemps… ajouta Jordan.

— Non, je dois procéder ainsi, répondit Abby en opinant de la tête d'un air irrévocable. Je ne vais pas lui cacher cette information ; je ne le peux pas. Ça serait mal.

— Ce que je vais dire va paraître cru, répliqua Jordan. Mais comme je suis ton ami, je crois que c'est mon devoir de te dire que ton idée est complètement foutraque.

— Et comme je suis… ton ami aussi… je dois dire que j'appuie Jordan, dit Dan en levant une main dans les airs.

— Eh bien, ce n'est pas à vous de faire un choix ! rétorqua-t-elle en repoussant sa tarte. Il s'agit de ma décision et de *mon* père. Je croyais simplement que vous seriez contents pour moi. Avec tout ce qui est arrivé dans ce lieu horrible, j'ai cru qu'au moins une bonne chose ressortirait du lot.

Elle se leva et s'essuya les mains.

— Je vais l'appeler, dit-elle en ajustant la fermeture à glissière de son pull moucheté de peinture. Il va apprendre la vérité à propos de tante Lucy. Ce soir.

Abby tourna les talons et sortit de la pièce en coup de vent. Jordan arqua un sourcil à l'intention de Dan, comme pour lui demander s'il allait la suivre.

Cependant, Dan était épuisé, et après une longue journée d'interrogatoire, il désirait ardemment être seul. En outre, il y avait un détail qu'il était impatient de vérifier — un détail qu'il avait tenté de chasser de son esprit depuis les cours du matin. Jordan sembla comprendre sans qu'un seul mot soit nécessaire.

— Eh bien, je suppose que tu sais où me trouver, dit Jordan avant de sortir de la chambre et de refermer la porte derrière lui.

Tout de suite, comme s'il arrachait un diachylon, Dan fouilla dans son sac à dos et ressortit ses cahiers de cours. Il feuilleta les notes prises aujourd'hui, quand il s'était surpris à copier l'écriture en pattes de mouche du directeur. Au bas de la page, il avait inscrit le message suivant :

La folie, c'est se comporter de la même manière et s'attendre à un résultat différent. — Albert Einstein

En luttant contre l'envie de vomir, Dan parcourut avidement le reste de ses cahiers et scruta les pages à la recherche d'autres écarts troublants. Sans surprise, il trouva une phrase attribuée à Aristote dans ses notes du cours d'histoire de la psychiatrie. Il était possible que la professeure Reyes ait inscrit cette citation au tableau pour que les étudiants la recopient, mais Dan ne se souvenait absolument pas de l'avoir notée, et l'écriture n'était pas la sienne.

Il n'y a point de génie sans un grain de folie.

Dan bondit sur ses pieds et repoussa ses cahiers comme s'ils étaient porteurs d'une maladie. Toutes ces notes… sur son bureau… sous son lit… Il n'est pas étonnant qu'il ait cru que quelqu'un le traquait partout où il allait. Il avait écrit lui-même ces mots avant de se les « livrer ».

« Un trouble dissociatif léger. Des pertes de mémoire inoffensives », avait dit la docteure Oberst. Qu'en savait-elle ? Elle ne valait guère mieux que les médecins qui avaient travaillé à Brookline 50 ans plus tôt. À tout le moins, leurs traitements avaient donné des résultats.

À présent, Dan devait se faire à l'idée que ses trous de mémoire s'étalaient sur de longues périodes, qu'il oubliait des textos, des notes et même des photographies prises avec ses meilleurs amis. Oh, et c'était sans parler du fait anodin que chaque fois que quelqu'un avait été attaqué, Dan avait eu un écart mental qu'il ne pouvait justifier : il était inconscient dans le sous-sol quand Joe avait été tué, faisait la sieste dans sa chambre quand Yi avait été assommé et avait envoyé des textos sinistres quand Félix avait failli se faire matraquer avec un pied-de-biche.

Ces trous de mémoire lui paraissaient tout sauf inoffensifs.

Toutefois, Dan n'était pas prêt à croire qu'il était un meurtrier de sang-froid. Il imitait le directeur, et non le Sculpteur. Et aussi étrange que le fait de trouver un réconfort dans ce fait puisse paraître, il devait admettre qu'il préférait trouver des notes sinistres plutôt qu'un lacet étrangleur en sa possession.

L'agent Teague avait demandé aux parents de Dan ce qu'ils savaient sur ses parents biologiques.

Les questions de l'agent continuaient de résonner dans ses oreilles. Teague avait semblé certain du fait que Dan était parent avec le directeur cruel et que ce lien avait quelque chose à voir avec la présence de Dan au collège. Dan avait laissé sa mère rejeter l'idée comme une simple coïncidence alors qu'il savait que rien dans ce qui s'était passé cet été n'était le fruit du hasard. C'était sa destinée d'être au collège. C'était sa destinée de résoudre le mystère de ce qui était advenu du directeur, du Sculpteur et de Lucy.

Dan se rappelle qu'Abby avait visité la vieille église où elle avait trouvé le nom de Lucy dans les registres. Peut-être que ces registres opèreraient-ils la même magie pour lui. Il y avait toujours le principe du rasoir d'Ockham ou un truc du genre, après tout.

Il ne put attendre une minute de plus. Il refusait d'accepter une autre nuit agitée et de subir un sommeil criblé de cauchemars à nouveau.

Il empoigna sa lampe de poche et l'objet en sa possession qui ressemblait le plus à une arme — une paire de ciseaux —, puis il sortit dans la nuit.

Non seulement les ténèbres régnaient dehors, mais la brume perpétuelle s'était transformée en une bruine oppressante. Dan sentit l'humidité s'imprégner dans le revers de son jean. Cette sensation, combinée à la clarté toujours rafraîchissante qui s'installait dans son esprit chaque fois qu'il s'éloignait de Brookline, amena Dan à s'arrêter. L'église serait-elle ouverte à 20 h un jeudi?

Cependant, il sentait qu'il devait essayer. Il devait savoir s'il était fou, possédé ou la victime d'un complot complexe, et pour l'heure, sa seule piste était son lien possible avec le directeur Crawford.

Tandis qu'il franchissait une courbe dans le sentier, Dan fut soulagé de voir qu'il y avait une lumière aux fenêtres de l'église. À sa droite se dressait le tunnel dense d'arbres dans lequel son taxi avait roulé à son arrivée à l'école.

Dan entreprit de jogger quand la bruine devint une averse soutenue. Il y avait un petit auvent suspendu au-dessus des portes d'entrée de l'église. Dan se blottit dessous du mieux qu'il put alors qu'il tentait de faire tourner les poignées. Quand il découvrit que les portes étaient verrouillées, il se mit à les marteler avec la force de ses poings.

— J'arrive! J'arrive! annonça une voix faible.

Les portes s'ouvrirent vers l'intérieur pour dévoiler un vieil homme à l'air aimable qui portait un complet et une cravate. Il était si petit qu'il devait arriver à l'épaule de Dan. L'homme lui adressa un sourire chaleureux, même si Dan avait manifestement interrompu sa soirée.

— Eh bien, entre, entre. Je ne peux pas te laisser risquer de prendre froid sur le seuil de l'église.

Dan pénétra dans le petit vestibule, qui était juste assez spacieux pour contenir quelques tables longues. Il aperçut le sanctuaire ouvert au-delà des portes cintrées.

— Eh bien, dis-moi ce qui t'amène à l'église baptiste de Camford par ce jeudi pluvieux, jeune homme. Je ne me souviens pas d'avoir vu ton visage lors de la messe dominicale.

— Non. Je... suis un étudiant de la session d'été au collège. Enfin, je suis toujours au lycée. Je suis le programme préparatoire au collège.

— Ah, le CPNH, dit-il en articulant chaque lettre pour démontrer qu'il était bien au fait du jargon. Je connais bien ce programme. Ma petite-fille y a participé il y a quelques années.

— Oh, cool, dit Dan.

Il se sentait maladroit à l'idée de lancer ses questions sans préambule, mais l'homme semblait être satisfait de se tenir là dans l'entrée pour parler.

— Eh bien, Monsieur, je suis désolé de vous déranger si tard, mais une amie est venue ici il y a quelques jours, et elle m'a dit que vous l'avez aidée à découvrir de l'information sur sa tante.

— Ah, tu dois parler d'Abby. Oui, charmante fille. Elle me fait penser à ma petite-fille, en fait.

— Eh bien, j'espérais en quelque sorte que vous puissiez m'aider aussi. J'ai déjà eu de la parenté ici, à Camford, moi aussi.

— Vraiment?

Le pasteur regarda Dan d'un air curieux, comme s'il ne le croyait peut-être pas. Dan choisit de suivre l'exemple d'Abby et de tout dévoiler.

— En fait, je n'en suis pas certain, pour parler franchement. J'ai été placé dans différentes familles d'accueil pendant un certain temps, puis j'ai été adopté par mes parents. Mais des incidents bizarres qui sont survenus cet été me portent à croire que je suis peut-être tombé sur des membres de ma parenté biologique ici, à Camford.

— Laisse-moi deviner : tu es Daniel Crawford?

La contenance du pasteur devint solennelle, presque glaciale.

— *Je m'appelle Dan*, dit-il, sur la défensive. Comment le savez-vous?

— Nous sommes dans une petite ville, Monsieur Crawford.

Ensuite, quand Dan continua de le fixer, il ajouta :

— Monsieur Weathers est l'un de mes paroissiens.

Dan mit une seconde à comprendre que le pasteur parlait de *Sal* Weathers.

— Oh, ça. Ouais, ma visite chez lui ne s'est pas très bien passée. Sal — monsieur Weathers — a cru que je lui jouais un sale tour, ou un truc du genre, mais ce n'était pas le cas. Mon nom est réellement Dan Crawford, et je cherchais vraiment à en savoir plus sur Brookline.

— Je te crois, dit le pasteur d'un ton apaisant, les lèvres pincées. Mais je crois que pour monsieur Weathers, l'idée que tu ne plaisantais peut-être pas serait encore plus effrayante.

— Oh. Je vois, dit Dan.

— Vraiment? Que sais-tu de ce qui s'est réellement passé à Brookline?

— J'en sais beaucoup plus que ce que le collège nous dit, répondit Dan d'un ton de défi.

— Ah, vraiment?

On aurait dit qu'ils se livraient à une partie de poker où chacun tentait de deviner ce que l'autre savait déjà. Finalement, l'homme soupira : si cette discussion était un jeu, il abandonnait la partie.

— Bon, je dois admettre que je n'étais qu'un garçon quand le directeur Crawford a pris le contrôle de l'asile, mais les rumeurs sur ce qui est survenu sous son règne sont légendaires. Des conditions inhumaines dans le meilleur des cas, des expériences de torture dans les pires cas. Ce ne sont pas exactement des souvenirs que les villageois sont impatients de revivre.

Dan courba l'échine, comme si on l'avait réprimandé.

— Par contre, je me souviens de la *famille* du directeur, enchaîna le pasteur, ce qui ramena l'attention de Dan sur lui. Oh, oui, il avait une famille. Pas de femme ni d'enfants, mais les garçons Crawford étaient originaires de Camford, et Daniel était l'aîné des trois. Quand il est revenu de la faculté de médecine pour assumer le rôle de directeur de Brookline, ses jeunes frères travaillaient ici, l'un comme mécanicien et l'autre comme vendeur de vêtements. Daniel a toujours été le plus intelligent de la famille.

Le pasteur avait un regard vague, fixant le vide à une distance plus ou moins rapprochée, et se remémorait les détails d'un lieu oublié depuis longtemps.

— Le mécanicien, Bill, avait une femme qui venait tout juste d'accoucher d'un petit garçon au moment de la fermeture de l'asile. Cela remonte à... 1972? Peu après, les Crawford ont quitté Camford dans la honte.

— Pourquoi?

— Oh, il y a eu une bonne vieille chasse aux sorcières. Daniel a subi un procès, bien entendu, et plus on dévoilait de détails sur ses cas, plus les gens exigeaient le départ des Crawford. Comme si leur sang était empoisonné, quelque chose comme ça.

— Et qu'est-il arrivé à... Daniel?

— Eh bien, il a tenté de plaider la folie pour un moment. Et sa défense était irréfutable aussi. Certains des actes qu'il a posés dans ce donjon et des raisons qu'il a données... Les gens étaient outrés, bien sûr. Mais au final, aucun verdict n'a été rendu. L'un des prisonniers est entré dans sa cellule et l'a tué. On dirait bien que les verrous des cellules n'étaient pas aussi solides qu'on le pensait.

Dan fut estomaqué.

— Wow, dit-il, incapable de dire autre chose.

— Une chose terrible, dit le pasteur.

Il continuait de bloquer l'entrée du sanctuaire, si bien que Dan commença à avoir l'impression que le pasteur souhaitait le voir partir.

— De toute façon, je peux tout de suite te dire une chose : tu ne trouveras aucun membre de la famille Crawford dans notre registre des baptêmes. Ils ont été rayés de nos dossiers bien avant que je devienne pasteur.

— Je suppose que je peux comprendre pourquoi, dit Dan.

Mais il trouvait curieux que le pasteur détienne déjà cette information.

— Eh bien, je devrais y aller, lança Dan. Mais est-ce que ça vous ennuie si je vous pose d'abord une dernière question ?

— Pas du tout.

— C'est à propos de Dennis Heimline. Le Sc... Le *Sculpteur*, balbutia Dan. J'ai entendu des gens dire qu'il est mort l'année où Brookline a fermé ses portes, mais monsieur Weathers a affirmé que personne ne sait avec certitude ce qui lui est arrivé.

— Je crains que monsieur Weathers ait raison, en théorie. Nous présumons tous que Dennis Heimline est mort, bien entendu, étant donné la nature des traitements qu'il a endurés à l'asile. Mais si les autres patients ont été retrouvés, le corps de Heimline, lui, ne l'a jamais été.

Dan frémit. Puis, en marmonnant ses remerciements, il se retourna pour partir.

— Oh. Monsieur Crawford ? dit le pasteur en prenant le coude de Dan. J'espère que vous n'en voudrez pas à Sal pour les ennuis qu'il vous a causés. Je pense que vous pouvez comprendre pourquoi parler de tout cela l'a vexé.

— Tout à fait. Merci pour toute votre aide, Monsieur…?

— Bittle, dit le pasteur, la mine sévère. Ted Bittle.

✕ ✕ ✕ ✕ ✕ ✕

Dan quitta l'église avec un plus grand sentiment de désarroi qu'à son arrivée. Il s'était rendu là pour obtenir une *preuve*, une confirmation, mais il en ressortait avec encore plus de possibilités. Son grand-père avait *peut-être* été un mécanicien. Le directeur Crawford, qui était *peut-être* son arrière grand-oncle, était mort en prison tandis que le Sculpteur était *peut-être* encore en vie. Et si la fiche trouvée par Jordan dans le sous-sol n'était pas le fruit de l'imagination de Dan, le pasteur baptiste de Camford était *peut-être* parent avec un autre patient meurtrier de Brookline.

Dan ne fut que trop heureux de laisser l'église derrière lui.

Mais s'il pleuvait plus tôt, l'averse était devenue torrentielle à présent. La route de gravier à l'extérieur de l'église était boueuse et périlleuse. Dan tenta d'éclairer sa route à l'aide de sa lampe de poche et de courir en même temps, mais il ne cessait de rouler et de glisser sur des petites pierres. Il venait à peine d'atteindre le sentier principal quand il conclut que c'était idiot d'essayer de rentrer par ce temps. Il quitta la route pour trouver un abri dans la forêt dense. Il fit deux pas dans la forêt, et déjà, le déluge fut réduit à quelques gouttes éparpillées qui se frayèrent un chemin entre les branches qui s'emmêlaient dans le ciel comme un fouillis de doigts. Il ne restait plus à Dan que d'attendre une accalmie.

Une branche craqua derrière lui dans un bruit sourd, même avec la pluie battante.

Dan se tourna juste à temps pour apercevoir un cerf filer dans le labyrinthe d'arbres à peut-être trois mètres de lui. Il poussa un lourd soupir.

«Ce n'est qu'un cerf, Dan. Calme-toi.»

Mais quand il dirigea le faisceau de sa lampe à l'endroit où il avait vu le cerf, Dan décela une lueur dans l'obscurité, comme le reflet de la lumière sur de l'acier. Il crut d'abord qu'il s'agissait d'un piège à animaux ou d'une balise de sentier... Puis, il aperçut une corde attachée autour du tronc et étirée bien droit dans l'ombre. Il comprit alors qu'il s'agissait d'un pieu de métal enfoncé dans l'arbre.

— Allô? cria Dan, qui supposa qu'un chasseur s'était égaré dans la pluie.

Mais c'était une idée ridicule; qui serait parti à la chasse aussi près de l'école?

— Il y a quelqu'un?

Dan sortit les ciseaux qui se trouvaient dans sa poche pour les brandir. Ils réussirent à peine à lui insuffler un sentiment de sécurité. Il enjamba des branches tombées et un taillis de broussailles avec précaution. Enfin, il atteignit l'arbre où le pieu était enfoncé et dirigea le faisceau sur la corde tendue.

Il s'attendait toujours à découvrir un filet à l'autre bout, posé là pour cueillir un animal sans méfiance.

À la place, il découvrit une main humaine.

— Oh, mon Dieu! Oh, mon Dieu! Oh, mon Dieu! bafouilla-t-il.

Il trembla de façon incontrôlable tandis qu'il tentait d'assimiler ce que le faisceau de sa lampe de poche lui montrait.

Il s'agissait d'un homme dont les mains étaient reliées à deux arbres avoisinants à l'aide de cordes et tirées légèrement vers derrière, si bien qu'il était positionné vers l'avant, plié à la taille.

— Est-ce que ça va? demanda Dan, même s'il était persuadé de déjà connaître la réponse.

Il se rapprocha de l'homme autant qu'il osait le faire. Il avait peur de le toucher, convaincu qu'il allait bondir pour l'agripper ou le mordre comme un zombie. Cependant, Dan se força à poser deux doigts tremblants sur le cou de l'homme. Il attendit de sentir un pouls, en vain.

— Oh, mon Dieu. Oh, mon Dieu.

Il s'avança pour couper les cordes à l'aide de sa paire de ciseaux, mais il s'arrêta. Il s'agissait d'une scène de crime qu'il valait mieux ne pas troubler.

Dans cette proximité, Dan put enfin discerner les traits du visage de la victime. Il reconnut l'homme.

Sal Weathers...

CHAPITRE
N° 33

Dan courut tête baissée dans la pluie, ne se souciant plus d'être trempé jusqu'aux os. Il devait rentrer. Il avait besoin de la sécurité que conférait la présence des autres. Il devait dire aux policiers ce qu'il avait découvert.

«Mais c'est toi qu'ils soupçonneront. Tu le sais», se dit-il alors. Dan s'arrêta soudain, à un sprint final des portes d'entrée de Brookline.

C'était la vérité. Les soupçons pèseraient sur lui. Ils le croiraient coupable.

Monsieur Bittle ne lui avait-il pas dit quelques instants plus tôt que Sal Weathers propageait la nouvelle de sa petite visite partout dans le village? Et l'agent Teague conclurait certainement que le fait que Dan soit encore le premier à découvrir une scène de crime n'avait rien d'une coïncidence. Le fait que Dan n'avait pas souffert de trou de mémoire cette fois importait peu : les preuves circonstancielles seraient amplement suffisantes.

«Garde ton sang-froid, Crawford. Personne ne sait où tu étais.»

Oh, mon Dieu. Dans sa panique, il avait échappé sa paire de ciseaux dans la forêt. Devait-il retourner les chercher? Non, c'était trop tard.

Il attendit que son pouls ralentisse le plus possible. Il ne remarquait presque plus la pluie à ce stade. Il prit une dernière inspiration profonde et passa les portes au petit trot comme n'importe quel autre étudiant qui aurait voulu se mettre à l'abri de la pluie.

Deuxième étage, troisième étage, chambre 3808…

Dan ouvrit la porte de sa chambre le plus calmement possible, puis la fit claquer derrière lui quand il s'aperçut que Félix n'était pas là. «Dieu merci. Tu vas bien, tu vas bien, tout ira bien», se dit-il.

Ses mains tremblant toujours violemment, Dan se sécha à l'aide d'une serviette, puis se gifla le visage des deux mains en essayant de déterminer la prochaine étape à suivre.

«Où es-tu allé? Quel est ton alibi? Est-ce que quiconque songera à demander à monsieur Bittle s'il t'a vu?»

Monsieur Bittle…

Le parent d'un meurtrier… Était-il possible qu'il ait été l'imitateur tout ce temps? Que fabriquait-il à l'église ce soir-là avec les portes verrouillées, de toute façon? Pourquoi avait-il voulu tenir Dan hors du sanctuaire?

«Oh, mon Dieu.» Dan eut l'impression qu'il allait être malade.

Un cognement soudain à la porte faillit lui faire faire une crise cardiaque.

— Qui est-ce? lança-t-il, sa voix se cassant à la dernière syllabe.

— C'est moi, dit Jordan. Ouvre.

Dan jeta un dernier coup d'œil à son reflet dans le miroir pour replacer ses cheveux et essayer de se donner un air normal.

Dans le couloir, Jordan n'avait pas meilleure mine; il était une boule agitée d'énergie avec un foulard et des lunettes.

— Viens vite, dit Jordan, essoufflé. Abby est complètement anéantie.

«Abby? Anéantie? Bien sûr. Son appel téléphonique à son père. Lucy.»

— J'en conclus que les choses ne se sont pas passées comme prévu? dit Dan en suivant Jordan dans le couloir.

— Même pas un peu. Hé, pourquoi es-tu trempé?

«Dis-lui que tu étais sous la douche.»

— J'étais dehors.

«Pourquoi étais-tu dehors?»

— J'étais en quête de bouffe. J'avais encore faim après la tarte.

«Beau rattrapage, Dan.»

— Apporte un parapluie la prochaine fois, nigaud.

Ils trouvèrent Abby assise sur son lit, les genoux ramenés contre sa poitrine. Dan remarqua que le portrait de la fillette auparavant suspendu au-dessus de son lit avait disparu.

— Hé, hé, fit Jordan, qui se précipita vers le lit pour s'asseoir à ses côtés.

Il passa un bras autour de ses épaules. Elle tremblait de façon incontrôlable, secouée par une nouvelle vague de sanglots.

— Calme-toi, Abs, et raconte à Dan ce qui est arrivé.

— Je l'ai… appelé… Je l'ai appelé, et… Dan, il était si fâché! Je ne l'ai jamais entendu crier comme ça. Il a crié et crié, puis il est devenu si silencieux, ce qui était pire encore.

Elle s'interrompit, hors d'haleine, puis renifla, ses sanglots apaisés pour le moment.

— Peut-être que j'avais tort sur toute la ligne, fit Abby, qui leva ses yeux bruns remplis de larmes fraîches vers lui. Aurais-je dû me fermer la gueule?

— Je ne sais pas. Je n'en suis pas certain, Abby, vraiment. Je ne connais pas ton père.

Abby cessa de pleurer assez longtemps pour le fixer. Jordan le dévisagea comme s'il venait de perdre l'esprit. «Si seulement il savait.»

— Tout ce que je sais, c'est que tu avais les meilleures intentions; et tu ne peux pas t'en vouloir en pareil cas.

— Exact, renchérit Jordan. Ton père se remettra de sa colère au bout du compte.

— P-papa refuse d'en reparler. Ça se comprend, je suppose. Enfin, j'ai *essayé* de lui expliquer la situation. Mais il a d-dit que j'étais malade. Que c'était un délire d'aborder le sujet!

Jordan pointa vers la boîte de mouchoirs sur le bureau, et Dan alla la chercher.

— Il ne comprend pas! Je n'ai pas fait ça pour être mé-méchante. C'est sa sœur... Je croyais qu'il serait ravi.

Abby prit un mouchoir qu'elle entreprit de déchiqueter.

— Tu as essayé, dit Jordan d'une voix douce. Tu as essayé, et c'est tout ce qui importe. Si ça se trouve, il a simplement besoin de temps pour y réfléchir.

— Jordan a raison, c'est... Qu'est-ce que c'est que ça?

Dan s'apprêtait à s'asseoir au bureau d'Abby, mais il s'arrêta quand il entendit un bruissement à l'extérieur de la porte.

— Chut, fit Dan, qui appuya le doigt contre ses lèvres.

Un petit papier carré apparut sous la porte.

— Ce n'est pas possible, balbutia-t-il.

«C'est toi qui écrivais ces notes. Personne d'autre. Dès le départ, c'était toi. Qui diable est-ce là?»

Dan ouvrit grand la porte, mais une seconde trop tard. Le corridor était désert. Il se pencha pour ramasser la note, qu'il déplia avec ce sentiment familier d'appréhension dans le ventre. Au moins, l'écriture sur cette note n'était pas celle du directeur. Dan n'avait pas complètement perdu l'esprit.

— Que dit la note ? demanda Jordan depuis le lit.

Dan lut la note.

C'est l'heure du traitement. Viens au sous-sol à minuit.

— D an, c'est ridicule, chuchota Abby d'un ton urgent. Que fichons-nous dans le sous-sol si quelqu'un de dangereux s'y trouve ?

Jordan et elle le suivaient sur son sentier de guerre, en direction de l'ancienne aile.

— Jordan et toi n'êtes pas obligés de venir. En fait, vous ne devriez probablement pas venir. Mais je dois y aller. Je dois le confronter.

— En ce qui me concerne, je ne remettrai pas les pieds là-bas, dit Jordan. Et, pour que tout soit clair, je pense que vous êtes cinglés de même songer à y aller. Je vous en prie... Pourquoi ne pas simplement en parler aux policiers ?

— *Non !* grogna Dan, ce qui les effraya tous les trois. Non, je ne peux pas. Vous devez me laisser y aller. Je ne vous demande pas de m'accompagner.

— Et je ne te laisserai pas y aller seul, rétorqua Abby, têtue.

Elle toisa Jordan, mais ce dernier tendit ses bras dans un geste qui indiquait qu'il avait les poings liés avant d'ajouter :

— Je suis sérieux, les amis. Je vous aime tous les deux, mais je ne peux pas y aller. Si seulement vous pouviez entendre raison et rester ici avec moi...

Ils atteignirent la porte du bureau du directeur. Elle était déverrouillée, comme Dan s'y était attendu. Celui qui lui avait envoyé la note était déjà en bas.

— C'est correct, dit Dan, qui ouvrit la porte et franchit un pas à l'intérieur. Ce n'est pas ton combat, de toute façon, Jordan. C'est le mien.

Avant de le suivre à l'intérieur, Abby s'élança vers Jordan pour lui donner une étreinte, puis un coup de pied au tibia. Les deux gestes semblaient bien résumer leur trio.

— Je te revois bientôt, crétin, chuchota-t-elle par-dessus son épaule.

— J'espère bien, lança Jordan en retour.

Dan tira Abby à sa suite, impatient de confronter l'épreuve qui l'attendait. D'une manière ou l'autre, ils allaient découvrir celui qui les terrorisait, qu'il s'agisse d'un fantôme, d'un imitateur ou de n'importe *quoi* d'autre. Bien entendu, la réception était déserte, silencieuse et froide.

Ils empruntèrent le chemin devenu familier vers le bureau du directeur. Dan se remémora le courriel étrange qu'il avait reçu durant son rencard avec Abby : «RE : Patient 361 — question au sujet de la séance de jeudi».

«Nous sommes jeudi soir encore pour deux heures», se dit-il.

— Dan?

Il leva les yeux pour découvrir qu'Abby le fixait du regard avec un petit sourire nerveux sur les lèvres. Il n'aurait pas dû l'entraîner dans cette histoire. Elle aurait dû se trouver à l'étage, en sécurité et au chaud dans son lit, loin de la folie qui rodait ici bas. Cependant, il n'aurait pas voulu que quiconque d'autre se tienne à ses côtés.

— Allons-y, dit-il.

Il frémit, convaincu que quelqu'un le talonnait et en projetant contre sa nuque des bouffées d'air chaud. Quand il jeta un coup d'œil derrière, il n'y avait personne, mais il ne pouvait chasser l'impression que quelqu'un les observait et les suivait.

Dan et Abby s'accroupirent derrière le classeur pour passer par la brèche dans le mur. L'obscurité était lourde, impénétrable, mais Dan s'avança sur la pointe des pieds et se retourna pour s'assurer qu'Abby était bien passée par le trou. Il scruta les ombres, les yeux plissés. Il n'y avait rien d'inhabituel dans cette pièce non plus : les classeurs aux fiches rangées en ordre alphabétique étaient placés au bon endroit, et de l'air froid sentant le moisi s'élevait de l'escalier à la droite, comme auparavant.

Abby posa le pied sur la première marche d'un air plus brave que ce que Dan ressentait dans son for intérieur.

— A-t-il toujours fait aussi sombre ici ? demanda Dan.

— Oui, répondit Abby avec ironie avant de taper son téléphone mobile contre sa tête. Tu dois pointer ta lampe de poche vers le haut, et non vers le sol.

— Ça ne change pas grand-chose...

Dan promena le faisceau dans la pièce pour illustrer son propos.

— Je n'y vois toujours foutrement rien.

Il alla la rejoindre dans l'escalier et dirigea sa lumière vers le tunnel sinistre sous eux. Abby empoigna sa main, et ils descendirent, une marche à la fois, mais s'arrêtèrent à mi-chemin pour tendre l'oreille. Il n'y avait rien d'autre à entendre que le son réprimé de leur propre respiration.

Quand ils tournèrent le coin au bas de l'escalier pour s'engager dans le long couloir de cellules vides, Dan se dit que cela faisait partie du plan du meurtrier. La descente représentait un tourment en soi. Dan pouvait sentir son corps qui voulait avancer plus vite, *se précipiter*, de même que l'adrénaline qui envahissait ses sens, mais il savait qu'on pouvait leur tendre un piège à tout moment. La vigilance était peut-être leur seule ligne de défense.

Ils s'avancèrent dos à dos dans la rangée de cellules abandonnées et promenèrent leurs regards dans toutes les directions. Ainsi, ils pouvaient s'assurer de ne pas être suivis et éviter de trébucher sur les chariots roulants et les autres débris qui jonchaient leur voie.

Dan jeta un coup d'œil dans chaque chambre qu'ils passèrent et prit mentalement en note ce qu'elles auraient dû contenir. À l'approche du bout de la rangée, il s'arrêta pour fixer le regard sur le sol, qui était complètement dégagé alors qu'il n'aurait pas dû l'être. Il se souvenait distinctement d'un objet quelconque, mais il y avait aussi une trace dans la poussière là où l'objet en question avait été posé.

«De quoi s'agit-il? Qu'est-ce qui manque?»

Dan retint son souffle : le fragment d'un souvenir, une chanson délicate, lui revint. La boîte à musique n'était plus là où il l'avait laissée. Il n'aperçut même pas de morceaux de porcelaine. «Quelqu'un est venu ici.»

— Merde, chuchota-t-il.

— Quoi? fit Abby qui pivota sur elle-même pour lui faire face. Qu'est-ce qui ne va pas?

— Quelqu'un est venu ici, dit-il. Ou quelqu'un est ici *en ce moment.*

Il venait à peine de prononcer le dernier mot quand ils entendirent un crissement métallique au-dessus d'eux. Ils se figèrent, et pendant un long moment, Dan se demanda si un tuyau avait éclaté dans le plafond ou si…

Abby se précipita sans hésiter et courut dans la direction d'où ils étaient venus. Il la suivit et comprit une seconde plus tard ce qui avait dû arriver. Il s'agissait du classeur : quelqu'un tentait de les coincer au sous-sol.

Abby fila la première et gravit l'escalier, deux ou trois marches à la fois. Mais ils atteignirent le palier trop tard. Le classeur bloquait déjà la voie de sortie. Abby s'élança vers le meuble pour tenter de le pousser en l'agrippant comme elle le pouvait de ses ongles. Au-delà du tonnerre de son pouls à ses oreilles, Dan l'entendit haleter vaguement.

Ils étaient coincés dans l'obscurité de leur cellule finale.

Non, ils ne pouvaient pas être coincés... Dan songea à Jordan, qui était encore de l'autre côté, espérant d'abord un sauveur, puis se demandant sinistrement si Jordan n'était pas celui qui les avait emprisonnés. Comme Dan pouvait à peine se fier à son propre esprit, il paraissait logique que ses «amis» ne vaillent guère mieux.

— Viens! Aide-moi! grogna Abby, qui donna un autre coup d'épaule au meuble.

— Qui est là? Cesse de jouer au poltron et montre-toi! hurla Dan.

Il s'avança auprès d'Abby pour associer sa force à la sienne, mais le classeur refusait de bouger. Il martela le métal de ses poings.

— Laisse-nous sortir, laisse-nous sortir! cria-t-il jusqu'à ce que sa voix s'enroue.

Dan entendit Abby inspirer un souffle chevrotant avant de s'effondrer en larmes contre le mur.

Elle vérifia son téléphone.

— Aucune réception, dit-elle avant d'essuyer une larme. Qui ferait une telle chose, Dan?

— *Chut!* J'entends quelque chose...

Ils se turent et écoutèrent. Derrière le classeur, Dan décela distinctement le bruit de pas. Il crut entendre un déclic, peut-être le claquement doux des talons hauts d'une femme. Puis, ce fut le silence.

Ils écoutèrent les pas sortir du bureau et s'estomper. Abby poussa contre le classeur une dernière fois en plantant fermement les pieds sur le sol, mais le classeur semblait avoir été enfoncé dans la brèche depuis l'autre côté.

Dan donna un coup de pied au meuble, mais tituba vers l'arrière. Il agrippa le mur afin de ne pas tomber.

— Je n'arrive pas à y croire... Pourquoi nous aurait-il menés ici simplement pour nous coincer à l'intérieur? Il avait peut-être d'autres plans et devait nous ôter du chemin pour procéder...

— Qui est donc ce «il» dont tu parles? demanda Abby. Tu me fais vraiment peur, Dan. Donnons-nous un moment pour reprendre notre souffle, puis essayons de pousser le classeur ensemble, d'accord?

Dan opina de la tête. Elle avait raison : la panique n'accomplirait rien. Ils allaient sortir de là et punir Dennis — ou son imitateur — une fois pour toutes.

Puis, Dan entendit un bruit ressemblant à une chaussure qui effleurait doucement le bois. Le son venait de l'escalier derrière eux.

— Qu'est-ce que...?

Mais il ne put terminer sa question. Une forme sombre fit irruption et bondit sur eux.

Il entendit un bruit sourd, et Abby tomba dans ses bras. La dernière pensée de Dan avant qu'il tombe à son tour fut consacrée à Abby. Il pensa au fait qu'elle était très jolie à ce

moment-là, placée comme si elle dansait, ses lèvres entrou-
vertes et sa tresse sombre à moitié défaite.

Puis, il sentit un coup à l'arrière de sa tête.

CHAPITRE
N° 35

Dan revint à lui sous la lumière crue d'une ampoule blanche. Le filament scintilla, et le vieux système électrique bourdonna comme s'il allait s'éteindre d'un instant à l'autre. Dan grogna et tenta de bouger.

Il en était incapable.

D'abord, il crut que c'était sa tête douloureuse qui le retenait prisonnier, mais à mesure qu'il reprit connaissance et que les sensations lui revinrent, il comprit que son immobilisme était dû aux sangles serrées contre sa poitrine, sa tête, sa taille et ses chevilles.

Il hurla, et l'écho lui renvoya son cri. Les sangles le retenaient solidement, et en se débattant, il ne réussissait qu'à rehausser sa douleur, sans parler de sa peur affolante. Tourner sa tête d'un côté à l'autre d'une fraction de centimètre était le seul mouvement dont il était capable.

L'amphithéâtre anatomique… voilà où ils se trouvaient. Les tables, les chariots roulants… Cela signifiait qu'un plateau rempli d'instruments chirurgicaux était posé à quelques centimètres de son crâne.

— Laisse-moi sortir! cria-t-il. Tu ne peux pas me faire une telle chose!

Dan tordit le cou dans l'autre sens. Abby était attachée à sa propre table, bâillonnée. Un chariot métallique était placé à ses côtés. La lumière blanche se reflétait dans le plateau de métal près d'elle et illuminait des forets chirurgicaux, des scalpels, des crochets — la gamme horrifiante d'instruments nécessaires à une lobotomie.

La lampe au-dessus d'eux clignota comme s'il y avait eu une suralimentation électrique, et Dan dut cligner des paupières. Quand l'électricité se stabilisa de nouveau, une ombre déborda du périmètre sombre de l'amphithéâtre. De sa vision parsemée de taches embrouillées, Dan parvint vaguement à la distinguer sans voir de qui il s'agissait. L'homme au pied-de-biche? Ted Bittle? *Jordan*? Dan était assez secoué pour croire n'importe quoi.

Puis, dans la lumière, la réalité le stupéfia.

— *Félix*?

Sa voix fut presque enterrée par les échos qui rebondissaient dans la salle.

— Qu'est-ce que tu fiches? Comment es-tu descendu ici?

— Je ne suis jamais parti, répondit Félix lentement.

— Détache-nous, espèce d'idiot! Laisse-nous sortir d'ici.

— Oh, tu n'iras nulle part, *Daniel Crawford*, dit Félix d'un ton railleur.

Quand ce dernier s'approcha, Dan remarqua qu'il était pieds nus et que ses yeux étaient hagards. Il avait enfilé une blouse blanche de médecin par-dessus son caleçon.

— D'après toi, quel nom devrais-je donner à mon chef-d'œuvre? Je songeais à l'intituler *Vengeance*.

Sa bouche se tordait anormalement quand il parlait et remuait trop à la prononciation de chaque mot. Et sa voix ne ressemblait pas à celle de Félix; elle était aiguë et moqueuse, comme celle d'un clown. Il marchait aussi de façon étrange en tanguant d'un côté et de l'autre, comme si des ficelles étaient attachées à ses membres et que quelqu'un manipulait ses mouvements comme ceux d'une marionnette.

— Félix, de quoi parles-tu ? dit Dan.

Il s'agissait de *Félix*, le *Félix* silencieux et modeste. Pourquoi diable Félix aurait-il cherché la vengeance ?

Mais dans son for intérieur, Dan sut que ce n'était plus Félix. C'était le corps de son compagnon de chambre, mais l'homme à l'intérieur — l'homme qui cherchait à assouvir sa vengeance — était quelqu'un d'autre, quelqu'un qui ne souhaitait pas se venger sur Dan, mais sur Daniel Crawford. Félix était désormais le Sculpteur.

Félix se dirigea furtivement vers la table de Dan pour se pencher au-dessus de lui.

— Vous êtes tous si faciles à manier, des idiots à la chair de glaise, chanta-t-il.

Ses yeux étaient complètement noirs. Il glissa le pouce sur le nez de Dan dans un geste presque tendre.

— La première statue a été trop facile. J'ai trouvé Joe seul dans l'escalier, où il croyait pouvoir surveiller tout le monde. Mais c'est moi qui *le* surveillais, et il ne m'a même pas vu arriver. Cette sculpture, je l'ai appelée *Prélude*. La seule partie délicate a été de trouver un autre idiot à qui faire porter le blâme. Voilà où j'avais besoin de l'aide de Félix. Une petite visite au laboratoire de biologie en fin de soirée pour mélanger un peu de chloroforme, et *pouf* ! Nous étions prêts à tout.

Dan crut entrevoir le vrai Félix qui se débattait à l'intérieur pour reprendre le contrôle. La lumière brillait, puis s'assombrissait dans ses yeux, comme si le courant dans son corps s'allumait et s'éteignait. Il devait donner à Félix le temps nécessaire pour reprendre le dessus.

— Donc, tu as tué Joe, et tu as incriminé ce type au village, dit Dan. Tu as seulement *fait semblant* de trouver le corps de Joe.

Félix toucha encore une fois le nez de Dan, ce qui dégoûta ce dernier jusqu'à la moelle.

— La deuxième statue, ce n'était que pour m'amuser. Pour rire. Celle-là, je l'ai appelée *Chaos*. C'est dommage que le moulage n'ait pas tenu le coup.

— Yi.

Dan se souvint d'avoir pensé que Yi semblait avoir été placé dans une pose, ses jambes ayant été placées de façon trop précise pour que ce soit accidentel.

— *Non.*

Soudain, le visage de Félix se dressa à quelques centimètres du sien, ses yeux braqués sur ceux de Dan; de la salive coula de sa bouche trop rose pour tomber sur le menton de Dan. La folie ricaneuse s'était épuisée, et il ne restait plus que la rage en lui.

— *Chaos, chaos.*

Félix s'éloigna en dansant et décrivit un cercle complet autour de la table de Dan tandis qu'il continuait de parler.

— Et ensuite, pour mon *rappel,* il fallait que je passe aux actes avant que cet homme horrible gâche tout notre plaisir. Il nous a presque découverts, Daniel Crawford : il savait ce qui se passait. J'ai appelé cette sculpture *Mesures préventives.*

«Sal Weathers avait presque découvert la vérité. Il savait ce qui se déchaînait à Brookline.»

— Mais à présent que j'ai tassé ces idiots de mon chemin, c'est ton tour, *ton tour.*

Félix gloussa de joie, puis il plissa les yeux.

— Je t'attends, je t'attends depuis si longtemps. Tu seras ma plus belle sculpture, mon œuvre maîtresse.

Dan se demanda exactement à quel moment la transformation avait eu lieu. Peut-être que tout avait commencé dès le premier jour : c'était Félix qui avait trouvé les photos et fait germer l'idée que Dan aille les voir par lui-même. Peut-être que Dan n'avait jamais connu le vrai Félix du tout...

Mais le fait de savoir qu'il avait dormi à côté de cette chose pendant des jours — peut-être des semaines — lui donna de l'espoir. Il sentait que Félix devait toujours être tapi quelque part à l'intérieur ; autrement, il l'aurait déjà tué depuis longtemps.

— Et cet homme au pied-de-biche ? Celui qui t'a attaqué ? demanda Dan pour le faire parler et essayer de gagner du temps pour Félix.

— Oh, *lui*... fit Félix, comme si l'idée même de l'homme l'ennuyait. Je l'ai laissé entrer par la fenêtre avec la fausse promesse de lui procurer de la drogue. Quand je n'ai pas livré la marchandise, il s'est un peu mis en *colère*.

Félix avait prononcé ce dernier mot en agitant doucement les doigts.

— Bien entendu, ma vraie cible était ton ami, le mathématicien. Mon plan était d'aller à sa rencontre au rez-de-chaussée, puis de venir rejoindre mon alibi au grenier. Je ne m'attendais pas à ce qu'il s'introduise ici avec un pied-de-biche ni à ce que tu te réveilles, pas après que j'aie emprunté ton téléphone. Ce n'était pas mon heure de gloire, évidemment, mais j'ai réussi de façon formidable à te torturer l'esprit. Comme tu avais l'habitude de *torturer le mien*.

Il siffla ces derniers mots à l'oreille de Dan.

— Tu es cinglé ! hurla Dan, qui lutta contre ses sangles. Elles étaient encore trop serrées.

— Tu crois ?

Félix parut authentiquement décontenancé par l'idée. Il ramassa un scalpel du plateau et enfonça le manche dans sa bouche pour le mordiller. Puis, il le sortit de sa bouche pour le brandir.

— Peut-être bien. Ça n'a aucune importance, maintenant. Je vais enfin te rendre la pareille pour toutes ces expériences *ratées*. Mais je suppose que l'une d'entre elles a réussi. N'est-ce pas, Crawford ? Après tout, nous sommes ici !

Félix se plaqua contre lui encore une fois.

— Est-ce que ça te rend heureux ? Ou est-ce que ça te rend triiiiiiste ?

Du bout tranchant du scalpel, Félix traça légèrement sa propre grimace de clown triste. Il laissa derrière une courbe rouge, une petite égratignure toujours visible après qu'il ait éloigné l'instrument.

— Mais je ne suis pas Daniel Crawford ! Je suis Dan, ton compagnon de chambre ! cria Dan.

— Compagnon de chambre ? dit Félix, semblant méditer sur ces mots. Oui, toi et moi, nous sommes dans la même chambre, *cette* chambre. Mais nous n'avons jamais été des *compagnons*. Oh, non.

Ces mots prononcés, Félix plongea le scalpel vers la tête de Dan jusqu'à ce qu'il surplombe son œil.

C'est alors que l'électricité fut coupée.

— Non ! hurla Félix.

Ses pas rapides firent écho dans la salle, s'éloignant toujours plus tandis qu'il se dirigeait vers les commutateurs.

Dan poussa un soupir de soulagement qui fut de courte durée. Une main se plaqua contre sa bouche et l'empêcha de parler. Dan tenta de la repousser en se secouant, mais ça ne servit à rien.

— Chut, fit une voix à son oreille.

Ce seul son lui permit de reconnaître qui était venu à leur rescousse.

«Jordan.»

Dan cessa de se débattre. Il sentit les sangles qui retenaient sa tête se relâcher, puis ce fut au tour de celles autour de sa poitrine. Enfin, les liens autour de sa taille et de ses chevilles se desserrèrent. Il s'assit rapidement et massa ses jambes pour en chasser l'engourdissement. La main de Jordan lui serra l'épaule en signe d'avertissement.

La lumière se ralluma dans un bourdonnement électrique sourd. Jordan était là, les yeux plissés, ses lunettes reflétant l'éclat soudain de lumière.

— Je savais que vous étiez inutiles sans moi, marmonna Jordan, qui recula plus près de Dan.

— Sournois! cria Félix depuis les commutateurs près de la porte.

Il bondit dans les marches qui menaient vers la scène d'opération. Il sautillait d'un côté et de l'autre comme un lièvre dément.

— Des *idiots* de chair, flexibles, malléables et sournois!

Ses mots s'emmêlaient dans un balbutiement affolé. Les yeux écarquillés et fous, il passa à l'assaut, son scalpel brandi bien haut.

— Tasse-toi! hurla Dan, qui bondit de sa table d'opération.

Il poussa Jordan derrière lui et agrippa un chariot roulant.

Félix fondit sur lui et donna des coups de scalpel dans tous les sens. Dan garda la table roulante entre eux et la déplaça de façon à bloquer chaque attaque de Félix.

Félix rit et fit passer le scalpel entre ses mains.

— Il y a des *années* que j'ai eu autant de plaisir.

Après avoir prononcé ces mots, il plongea vers l'avant et survola la table. Dan s'accroupit, mais Félix était plus fort et rapide, et il empoigna le col de Dan pour le jeter sur le sol. Dan referma la main autour du poignet de Félix pour empêcher le scalpel de lui couper le visage. Cependant, Félix disposait d'un avantage : il avait au moins 10 kilos de masse musculaire de plus que lui, et la force dans le bras de Dan diminuait rapidement.

Félix le plaqua contre le sol. Le scalpel se rabaissa, un centimètre agonisant à la fois, jusqu'à ce que Dan sente la pointe affutée lui effleurer la joue.

«Non. Tu ne vas pas le laisser faire. Tu es meilleur que lui.»

Armé d'une force qu'il ignorait posséder, Dan repoussa Félix, qui tomba à la renverse et laissa tomber le scalpel.

Dan roula brusquement d'un côté et bondit sur ses pieds. Il surplomba Félix, et ce dernier hurla et se recroquevilla. Dan tendit les bras vers lui, soudain coriace, si coriace qu'il l'empoigna par sa blouse de médecin. Il le souleva et le jeta sur la table d'opération. Dan rugit sous l'effort, mais l'épreuve se termina et Félix resta couché, impuissant.

— Attache-le! ordonna-t-il à Jordan. Avec les sangles! Nous ne pouvons pas le laisser partir.

Tandis que Dan maintenait Félix sur la table, Jordan agrippa les sangles et les boucla rapidement, s'attardant d'abord à sa poitrine, puis à ses jambes. Félix se débattit férocement, et ils durent faire deux essais avant de réussir à attacher sa tête. Au bout du compte, Jordan dut la retenir entre ses mains pendant que Dan serrait la sangle. Il y avait des mouchetures de salive et de sang sur les lèvres de Félix, et ses muscles étaient bandés sous les sangles tandis qu'il tirait.

Trempé de sueur, le cœur battant à plein régime, Dan tendit la main vers le scalpel.

« Le moment des expériences et des cures est terminé. Tu dois mettre fin à tout ceci, Dan — une fois pour toutes. »

— Dan, que fais-tu avec ce truc ? demanda Jordan, qui toisa nerveusement le scalpel à la main de Dan. Il n'ira nulle part maintenant. Partons, et laissons à la police le soin de s'en occuper.

— *Non !* explosa Dan. Personne d'autre ne s'en occupera. *Je* suis le seul à pouvoir mettre fin à ceci.

Le scalpel s'abaissa contre la volonté de Dan.

« Non, non, ce n'est pas ce que je veux. Ce n'est pas moi… »

« *Je* suis *toi*. »

Le scalpel s'approcha graduellement de Félix — plus près, toujours plus près.

« Non. »

Une vision exerça son emprise sur lui, vite et avec force, l'arrachant à son corps pour le transposer dans celui d'un autre. Il fut transporté à une autre époque, dans une autre décennie, et il redevint Daniel Crawford, le directeur.

L'amphithéâtre anatomique était bondé d'observateurs. Dans chaque siège, un spectateur étirait le cou pour observer sa technique. Environ 50 % des gens de l'auditoire le croyaient, les autres étaient sceptiques, mais tous voulaient connaître sa procédure secrète, au cas où elle fonctionnerait.

Et le pauvre Dennis brisé était attaché au lit. Au moins, un effet secondaire des chirurgies préparatoires avait enfin réussi à le guérir de sa rage.

Puis, vint un cri à l'interphone. Julie, cette nouvelle secrétaire stupide. Si elle ne l'interrompait pour un motif grave, elle allait le payer.

— La police! La police est en route!

La police? Ici?

Quelqu'un avait parlé.

Et maintenant, les spectateurs fuyaient en panique. Il explosa de rage devant le martèlement de leurs pas et leurs voix qui s'élevaient comme le raz-de-marée d'une mer dévastatrice. Ces poltrons de médecins trébuchaient les uns sur les autres en fuyant... Donc, la police était en route. Eh bien, dis donc.

Dennis poussa un cri qui secoua Daniel hors de ses réflexions. Ne lui avait-il pas administré un sédatif en quantité suffisante? Quelle importance? Il s'agirait de sa dernière expérience, après tout.

En poussant un juron, Daniel se hâta de terminer le tout avec beaucoup moins de rigueur qu'il l'aurait souhaité, puis il jeta ses gants ensanglantés et prit la fuite à son tour, le dernier. Le dernier à l'exception de Dennis. Il éteignit les lampes.

Les autres étaient partis depuis longtemps quand il atteignit son bureau. Il gaspilla un temps précieux à replacer le classeur devant l'ouverture menant aux étages inférieurs, son dernier espoir de prétendre que sa pratique était entièrement sans reproche. Il ôta ses lunettes et les accrocha brusquement au crochet en laissant une trace de sang résiduel sur le mur. Les papiers, les photographies : tout était éparpillé. Il ne s'en souciait guère. C'était un léger contretemps, il leur accordait cela, mais son travail survivrait. Son legs. Sa vie.

La porte s'ouvrit brusquement. Des policiers envahirent les lieux. Puis, vinrent les menottes et les chaînes, semblables à celles qui retenaient Dennis Heimline au sous-sol.

Quelqu'un avait parlé.

Il se dit alors que c'était la fille. Il fallait que ce soit la fille. La préférée de toutes les infirmières avec ses pas de danse, ses sourires, sa jolie chevelure... L'une d'entre elles avait dû se ramollir et l'avait laissée partir, et maintenant, tout allait s'écrouler à cause d'elle, la moucharde avec la petite cicatrice sur le front. Elle en avait trop vu, et surtout, elle en comprenait trop.

Mais son héritage avait survécu, et le directeur Crawford était de retour à sa place. Dans l'amphithéâtre où Dennis l'attendait depuis toutes ses années.

Une seule chose clochait. Sa vision n'était pas parfaite... Tout tourbillonnait.

— Dan? Dan?

Quelqu'un criait son nom.

Il pivota et tomba vers l'avant. Il trouva le lit et s'y agrippa pour ne pas perdre l'équilibre. Un visage pâle et tremblant levait les yeux vers lui. Dennis? Ou s'agissait-il de... Félix? Cela importait peu; il avait le scalpel, et il le tenait à la main, prêt à tailler...

Dan se contraignit à se concentrer, à y voir de nouveau. Ce n'était pas lui. Il n'était pas le directeur, et il ne le serait jamais.

Il lâcha le scalpel. Le cliquetis se réverbéra dans l'amphithéâtre anatomique.

«Je ne suis pas toi. Je ne serai jamais toi.»

— Idiot de chair flexible et malléable, ce n'est pas terminé, chuchota Félix. C'est loin d'être terminé.

Sous le coup de la peur et du dégoût, Dan poussa le lit loin, très loin de sa portée. Le lit tangua et tomba, et Félix, toujours attaché à la surface, grogna avant de se taire.

— C'est cet endroit! cria Dan.

Jordan s'était dirigé vers Abby pour défaire ses liens et la secouer afin qu'elle se réveille.

— Nous devons sortir de l'asile, dit-il en titubant vers ses amis. Nous devons tous sortir d'ici.

Il tendit les mains vers l'autre lit au moment où Abby se relevait du sien, toujours dans les vapes. Elle se jeta dans ses bras, mais Dan ne l'enlaça que brièvement avant de reculer.

— Nous devons sortir d'ici. C'est Brookline... Félix et moi... Vous devez m'aider à le faire sortir d'ici.

— Ça ne sera pas facile. Il est dans les pommes.

Jordan s'était précipité vers le lit tombé. Agenouillé près de Félix, il leva les yeux vers Dan et Abby, les lunettes de travers.

— Mais si nous le soulevons ensemble, je pense que nous pouvons le faire sortir sans défaire ses liens.

Dan opina de la tête et s'arma de courage tandis qu'il approchait de Jordan.

— Dans ce cas, c'est ce que nous allons faire.

CHAPITRE
N° 36

À mi-chemin, dans le dernier escalier, Teague vint à leur rencontre, flanqué de deux policiers. Fléchissant sous le poids de Félix, Dan porta une main à son front pour protéger ses yeux du faisceau aveuglant des lampes de poche.

— C'est maintenant que vous choisissez d'arriver, marmonna Jordan, même s'ils étaient tous les trois plus qu'heureux de céder la tâche de transporter Félix à trois hommes adultes.

Le compagnon de chambre de Dan avait sérieusement accru sa masse musculaire, et chaque moment passé à essayer de le sortir du sous-sol donnait au directeur une autre chance de reprendre le contrôle sur Dan.

— Je ne trouvais pas la moindre trace de ces ploucs dans l'immeuble, alors j'ai téléphoné au poste de police avant de vous suivre en bas, expliqua Jordan. Au moins, l'un d'entre nous réfléchissait logiquement.

— Quelqu'un est blessé ? demanda Teague, qui dirigea les jeunes vers le haut des marches.

Quand ils arrivèrent en haut et à l'alcôve meublée des classeurs alphabétisés, Teague supervisa le transfert de Félix aux autres agents.

— Félix a encaissé un coup à la tête, répondit Dan.

Il regarda les policiers soulever Félix et se dépêtrer pour le faire passer par la brèche dans le mur qui menait au bureau officiel du directeur. Dan se dit alors que tout ça était curieux. Si ce n'était pas Jordan qui les avait coincés à l'intérieur en poussant le classeur, qui l'avait fait?

Teague le toisa en soulevant un sourcil.

— Oui, c'est moi qui l'ai assommé, enchaîna Dan.

Il lissa ses cheveux. Un mal de tête terrible se déclarait à la base de son crâne.

— Je vous dirai tout, mais…

— Nous devons sortir d'ici, affirma Abby pour lui.

Elle se glissa à ses côtés et passa un bras sous le sien.

— Je vous en prie, faites-nous subir votre interrogatoire dehors ou au poste. Où vous voulez, pourvu que ça ne soit pas ici.

— Très bien. Mais je vous garde tous les trois à l'œil.

Teague tint parole et les réunit tout de suite à l'extérieur de Brookline. Heureusement, la pluie avait cessé. Dès que les agents finirent de charger Félix sur une civière et à bord d'une ambulance, ils revinrent vers Teague pour l'aider à monter la garde sur les jeunes.

— Bon, dit Teague, qui envoya le faisceau de sa lampe de poche dans les yeux des trois comparses encore une fois.

— Ça suffit, dit Jordan en baissant la tête. Nous venons de trouver votre tueur. Donc, est-ce que vous voudriez bien…?

Il n'eut pas le loisir de terminer sa phrase. Au milieu de la lumière éblouissante de la lampe de poche de Teague et des gyrophares des voitures de police, Dan aperçut une ombre qui traversa la pelouse à la course.

— Teague! cria-t-il.

Quelque chose de petit et d'affûté avait capté la lumière des gyrophares. La silhouette tenait un couteau.

— Attention !

Mais Teague n'était pas la cible. Dan eut tout juste le temps de relever les avant-bras pour se protéger avant que la femme se jette sur lui en hurlant. Dan la reconnut une demi-seconde avant qu'elle fonde sur lui. C'était la femme de Sal Weathers.

Elle poussa un cri inhumain.

Dan tomba à la renverse et sentit le couteau fendre l'air assez près de lui pour couper sa manche. Ses amis et Teague se joignirent à la mêlée pour essayer de retenir la femme sans être blessés. Teague dégaina son revolver et cria :

— Que personne ne bouge !

— Attendez ! Ne lui faites pas mal !

Abby se précipita vers la femme et s'interposa entre elle et Teague. La femme de Sal s'immobilisa un moment, mais le moment fut suffisant pour que les agents lui empoignent les bras et la traînent plus loin sur la pelouse.

Elle hurla de nouveau, complètement affolée.

— Attendez ! cria Abby, qui les suivit. Avez-vous vu ça ? lança-t-elle aux garçons par-dessus son épaule. Son front… Vous avez vu ?

Elle n'attendit pas leur réponse, et Dan et Jordan durent se mettre à la course pour la rattraper.

— T'a-t-elle coupé ? demanda Jordan.

— Non, mais elle n'a pas manqué ma chemise, répondit Dan.

Une dernière pointe d'adrénaline propulsa Dan là où la femme de Sal était agenouillée dans l'herbe haute, le couteau enfin arraché de sa main. Abby se tint devant elle et sortit lentement un objet de sa poche, un morceau ébréché de porcelaine qui scintilla à la lumière des gyrophares.

Il aurait dû savoir que c'était Abby qui avait pris l'objet. Bien sûr qu'elle était retournée au sous-sol sans lui... Dan comprit enfin.

— Reconnaissez-vous ceci ? demanda Abby avec douceur à la femme.

Dans l'agitation, les cheveux de la femme avaient été ébouriffés, et avec sa frange jetée de côté, la cicatrice sur son front était bien visible, une cicatrice comme celle de la fillette de la photo. Abby fit tournoyer la figurine comme si elle dansait.

Agenouillée, Lucy tendit la main vers la ballerine. Avec un sourire triste, Abby la laissa la prendre.

— Vous êtes Lucy, n'est-ce pas ? Lucy Valdez ? Mon nom est Abby Valdez. Vous aviez un frère — *avez* un frère. Mon père. Je sais que ça en fait beaucoup à encaisser, mais je pense qu'il aimerait vous voir. Et je veux que vous sachiez que votre père... Eh bien, il ne s'est jamais pardonné de vous avoir envoyée ici.

Lucy serra la ballerine ébréchée entre ses paumes avant de la placer contre sa poitrine.

Dan se demanda si elle avait découvert le corps de Sal dans la forêt ou si sa rage provenait uniquement du fait qu'elle croyait qu'il était le directeur.

— Agent Teague ! cria Dan, et le policier se hâta vers lui.

— Tout va bien ?

— Dans le sous-sol, avant que j'assomme Félix, il m'a dit avoir tué quelqu'un d'autre. Un homme du village. Il a dit avoir laissé son corps dans la forêt, près de l'église baptiste de Camford.

— C'est une information drôlement précise, dit Teague d'un ton suspicieux. En es-tu certain ?

— Je ne fais que vous répéter ce qu'il a dit.

Dan savait qu'il aurait du mal à se dégager de ce fouillis. Quand Félix reviendrait à lui, il ne se souviendrait peut-être pas de tout ce qu'il avait fait. Et alors, ce sera sa parole contre celle de Dan. D'ailleurs, Dan pensait savoir qui déplaisait le plus à l'agent Teague entre les deux.

Mais pour l'heure, Teague se contenta d'opiner de la tête et d'ordonner par communication radio qu'un membre de l'équipe aille vérifier dans les bois.

Jordan se glissa près de Dan pour enrouler une couverture autour de ses épaules.

— Elle avait raison, dit-il. Peux-tu le croire?

— Oui. J'aurais dû la croire plus tôt.

Abby était agenouillée sur la pelouse près de sa tante et l'observait à une distance prudente.

— Et que penses-tu de Félix? demanda Jordan dans un soupir.

Il étira un bras sous la couverture, ce qui donna l'impression qu'il portait une cape, et couvrit un bâillement dans le creux de son coude.

— Était-il...? Crois-tu qu'il s'en remettra? Vont-ils l'emprisonner?

Dan haussa les épaules.

— Tout ça est entre les mains des policiers, je suppose. Je ne crois pas que ce qui s'est passé était entièrement sa faute, mais je n'ai aucune idée de l'application des lois dans un cas comme celui-ci. J'espère seulement qu'il obtiendra de l'aide — et le bon type d'aide.

Par-dessus son épaule, il jeta un coup d'œil vers Brookline, qui se dressait sinistrement derrière eux.

— Pas le genre d'aide que ce lieu avait à offrir.

— Et nous?

— Ils vont mettre fin au programme, affirma Dan avec certitude, et nous allons rentrer à la maison.

— Génial, fit Jordan, qui donna un coup de pied dans la terre. Je suppose que j'ai toujours su que le rumspringa homosexuel allait prendre fin et qu'il me faudrait quitter le royaume d'Oz. Maintenant, je dois retourner à la maison et faire semblant d'être hétéro pendant encore une année. Dan, comment arrives-tu à le supporter?

— C'est un fardeau terrible, crois-moi.

Ils rigolèrent, mais Dan ne pouvait s'empêcher d'être inquiet pour Jordan. Que feraient ses parents quand ils apprendraient où Jordan avait vraiment passé l'été?

— Tu sais… Si tu veux… Enfin, si tes parents se montrent trop horribles, tu pourrais venir rester chez moi. Pour un certain temps, tu sais? Je suis certain que mes parents accepteraient.

Jordan replaça ses lunettes et ricana, alors Dan fut persuadé que son offre serait rejetée.

— Ta mère sait cuisiner?

— Non. Mais mon père, oui.

— Marché conclu.

Jordan tendit une main que Dan serra.

CHAPITRE
N° 37

Je suppose qu'ils enverront quelqu'un récupérer les affaires de Félix, dit Dan pendant qu'il enfonçait ses derniers livres dans sa valise.

Sandy et Paul s'occupaient en empilant les bagages bouclés près de la porte. Sa moitié de chambre était pratiquement vide à présent, mais les affaires de Félix demeuraient intouchées, jusqu'à la bouteille de Gatorade à moitié vide sur son bureau.

— Pauvre petit, dit sa mère, qui vint rejoindre Dan près du lit.

Il avait déjà défait le lit et enroulé les draps. Il ne laissa pas cette réalité faire un accroc dans ses préparatifs ; même s'il n'était pas pressé de dire au revoir à ses nouveaux amis, il voulait sortir de Brookline. Chaque seconde dans ce lieu semblait être une seconde de trop.

— Toc, toc ?

Ils se retournèrent tous les trois et virent qu'Abby se tenait dans l'embrasure de la porte ouverte. Elle se balança timidement sur ses talons en attendant de rentrer dans la pièce.

— Oh, salut. Je suis content que tu sois passée ici, dit Dan.

Une nuit à l'hôtel du village leur avait fait du bien à tous : Abby était splendide dans sa tunique aux épaules dénudées et ses leggings caoutchouteuses. Ses bottes de combat étaient éclaboussées de peinture rose et jaune.

— Nous allons apporter ces bagages à la voiture, proposa le père de Dan en jetant à son fils un regard qui était tout sauf subtil.

Malgré tout, Dan fut heureux d'avoir un moment d'intimité.

— Enchantée d'avoir fait votre connaissance, dit Abby alors que ses parents passèrent la porte.

— Nous sommes enchantés aussi, ma belle.

Depuis la porte et à l'insu d'Abby, Sandy envoya la main d'un air encourageant à son fils.

Une boule de draps alla rejoindre ses livres. Dan dut appuyer de tout son poids sur la valise pour la boucler.

— Ton déménagement est terminé ?

— Pas tout à fait. J'ai emballé mes affaires, mais j'attends toujours papa…

Dan souleva la valise trop pleine du lit pour la poser sur le sol.

— Il vient te chercher ? Est-ce que ça veut dire que…?

Abby secoua la tête, le visage soudain triste.

— En fait…

Elle s'interrompit, la voix étouffée, avant de dire :

— En fait, Lucy avait épousé un homme d'ici. Et il… Et Félix… Félix l'a *tué*.

Elle éclata en sanglots.

— Oh, mon Dieu, Abby, comme c'est horrible ! dit Dan, qui enroula ses bras autour d'elle dans un geste protecteur.

Il détestait en être arrivé au stade où il était plus facile pour lui de mentir et de feindre l'étonnement plutôt que de dire la vérité. Il était certain qu'Abby gardait toujours des secrets, elle aussi.

Enfin, Abby recula et s'essuya les yeux.

— C'est comme si tout cet été était maudit, dit-elle. J'ai empiré la vie de tante Lucy plutôt que de la rendre meilleure, et je vous ai entraînés, Jordan et toi, dans ce gâchis.

— Non, non, Abby. Écoute-moi bien. Cet été? Ce n'était pas ton gâchis. Nous avions tous des trucs à gérer, et je suis très content d'avoir fait ta rencontre et celle de Jordan. Nous avons ainsi pu nous entraider dans tout ça. Enfin, nous allons rester en contact, n'est-ce pas? Et ce qui est arrivé à ta tante, c'est vraiment horrible, mais elle peut compter sur ton père et toi, non? Elle n'est plus seule.

— Je suppose que tu as raison, renifla Abby. Et ouais, c'est certain que nous allons rester en contact.

— Tu vois? Au moins, cet été n'a pas été totalement…

Un mouvement à la porte l'interrompit. Une silhouette apparut, son ombre s'avançant sur le sol une seconde avant que la professeure Reyes passe la porte, vêtue de noir, comme d'habitude.

— Professeure? Quelque chose ne va pas?

— Hum?

Elle hésita à l'embrasure de la porte, un anneau de passe-partout s'entrechoquant à son poignet.

— Oh, non, je voulais simplement passer pour te dire que Félix Sheridan a été admis à l'hôpital général de West Hill. Il y a une excellente équipe psychiatrique là-bas, et il recevra les soins dont il a tant besoin et qu'il mérite pleinement. C'est… C'est tellement dommage, tout ce qui est arrivé, mais j'ai cru que tu aimerais le savoir.

— Merci, dit Dan avec un signe de tête. J'espère seulement qu'il ira mieux.

La professeure Reyes acquiesça avec une expression indéchiffrable.

— Nous l'espérons tous.

Puis, elle sembla se souvenir de quelque chose, sursauta et leva sa main dans laquelle se trouvait le porte-clés.

— En passant, l'ancienne aile est verrouillée pour de bon, et un policier sera posté devant l'entrée jusqu'à ce que la résidence soit vide. Personne ne reverra les étages inférieurs avant mon séminaire de l'an prochain. Et mon offre tient toujours, si tu veux te joindre à nous.

Avec un sourire rapide et superficiel, elle se retourna pour repartir.

— Ne t'inquiète pas, Dan. Je suis certaine que tout ceci ne sera bientôt qu'un mauvais souvenir.

Cette idée n'avait rien de réconfortant. L'ennui, avec les souvenirs, c'était qu'il était impossible de savoir quand ils allaient refaire surface.

La professeure referma la porte silencieusement en repartant, et Dan fixa celle-ci pendant un long moment après son départ. Il continuait de revoir les clés dans sa main et la porte… la porte qui semblait cacher tous les secrets de Brookline…

— Dan ? Dan, qu'y a-t-il ? demanda Abby.

Il fut incapable de chasser l'impression que les clés revêtaient une importance capitale. Félix avait affirmé que la porte menant à l'ancienne aile était ouverte le jour où ils avaient emménagé — que c'était ainsi qu'il y était entré au départ. Si la professeure Reyes possédait les clés, elle aurait pu laisser la porte déverrouillée ce jour-là. Et elle aurait facilement pu pénétrer dans l'aile quand elle le désirait, pour les suivre, par exemple, pour les coincer là en poussant le classeur.

— Ce n'est rien, dit-il en secouant la tête. Je fais preuve de paranoïa. C'est cet endroit… Je ne suis pas moi-même ici.

C'était un euphémisme.

— Tu veux me suivre jusqu'à ma voiture ?

— Bien sûr, dit Abby avant de l'embrasser brièvement sur la joue. Je suis impatiente d'être n'importe où sauf ici.

Ils agrippèrent chacun une poignée de la valise, la soulevèrent et se dirigèrent vers la porte. Dan se demanda s'il devait lui donner un baiser final ici, avant qu'ils se séparent, ou s'il valait mieux attendre d'arriver près de la voiture. Le moment paraissait très important, et il ne voulait pas le gâcher. En réfléchissant à la question, il commença à avancer.

Il finit par décider que ce serait plus romantique à la voiture. Avec un grand sourire, il lui ouvrit la porte en appréhendant leurs adieux, mais en étant heureux de savoir qu'ils allaient se revoir, une fois que le traumatisme lié à Lucy s'apaiserait. Ils allaient se téléphoner, bien entendu, et échanger des courriels. Elle voudrait peut-être même lui rendre visite, particulièrement si Jordan venait vivre chez lui.

— Tu fais des rêves en plein jour ? demanda-t-elle pour le taquiner tout en poussant la valise contre sa cuisse.

— Nan, gloussa Dan, qui lui adressa un sourire radieux quand ils atteignirent le hall d'entrée. OK, peut-être un peu…

— Hé, qu'est-ce que c'est que ça ?

— Hum ?

Il suivit le regard d'Abby vers le sol, où un petit bout de papier attendait, à moitié coincé sous sa chaussure. Dan posa son pied de côté et plissa les yeux. Son cœur sembla tomber jusqu'à ses orteils quand il reconnut l'écriture effroyablement familière.

Le message avait été rédigé à l'encre noire au centre du papier, d'une main assurée — presque joyeuse.

Nous nous reverrons très bientôt.

Daniel Crawford

REMERCIEMENTS

D'abord et avant tout, merci à mon agente, l'indomptable Kate McKean, qui m'a donné l'occasion de travailler sur ce projet. Merci aussi à Andrew Harwell et à l'équipe de HarperCollins, qui ont rendu ce livre possible grâce à leur créativité, leur générosité et leurs conseils. Merci aux membres de ma famille pour leur patience et leur soutien (maman, papa, Nick, Tristan, Julie, Gwen et Dom). Je veux exprimer, comme toujours, ma gratitude aux professeurs qui m'ont donné l'inspiration nécessaire pour repousser mes limites (Fran, Steve, Rod, Chris et Lisa). Merci également à mes enseignants du lycée, qui ont fait de mon adolescence une période beaucoup plus heureuse que celle de Dan (Larry, Adrienne et Naomi).

Mes remerciements et mes excuses au Beloit College, qui a servi d'inspiration physique pour le Collège du New Hampshire. Merci pour l'aménagement inspirant. Et je suis désolée d'avoir transformé l'endroit en un campus hanté.

Enfin, merci aux amis qui m'ont remonté le moral et qui m'ont donné un bon de coup de pied au derrière lors des jours plus difficiles. Merci à Kai (la liste est trop longue, merci pour la compagnie, le soutien, les dîners et pour *Doctor Who,* qui nous a donné Appa et le moniteur Plops). Merci à Taylor (alias mon fils que j'aime le moins) pour le soutien, l'amitié, les rires, la patience, les photos de chats et les commérages. Merci à Jeremy et à Christi, qui m'ont sauvé la vie! Merci à Anna et à Nicholas (et à leurs petits), à Maria et à Kimber (ces souris t'appartiennent, ma chère, même si elles se sont noyées, apparemment).

Ne manquez pas la suite :

LE SANCTUAIRE

CHAPITRE
N° 1

Les amis, vous n'allez pas le croire, tapa Dan tout en secouant la tête devant son écran d'ordinateur. *Un «expert en manipulation de la mémoire»? Est-ce que ça existe réellement? De toute façon, visionnez la vidéo, et dites-moi ce que vous en pensez!*

Son curseur survola la dernière ligne — il s'en dégageait un ton vraiment désespéré. Mais bon, Dan commençait à ressentir le désespoir. Ses trois derniers courriels étaient restés sans réponse; il ignorait si Abby et Jordan les avaient même lus.

Il appuya sur le bouton d'envoi.

Dan se pencha derrière et fit des étirements au niveau de son cou. Il entendit les doux craquements de sa colonne qui se replaçait. Puis, il ferma le couvercle de son portable — avec peut-être un peu trop de force — et se leva avant d'enfoncer l'ordinateur dans son sac, entre des feuilles et des dossiers. La cloche sonna au moment où il refermait son sac, et Dan sortit de la bibliothèque pour gagner le couloir.

Les étudiants dans le vaste corridor avançaient en une longue colonne. Dan reconnut quelques jeunes de son cours de calcul de la troisième période, et ils lui envoyèrent la main quand il s'approcha de leur rangée de cases. Missy, une petite brunette au nez tavelé de taches de rousseur, avait tapissé la porte de sa case de tous les autocollants et cartes postales de la série *Doctor Who* sur lesquels elle avait pu mettre la main. Un grand garçon dégingandé du nom de Tariq sortait des livres de la case voisine, et à ses côtés se tenait le plus petit garçon de terminale, Beckett.

— Salut, Dan! le salua Missy. Tu nous as manqué au déjeuner. Où es-tu allé?

— Oh, j'étais à la bibliothèque, dit Dan. Il fallait que je termine un truc pour le cours avancé en littérature.

— Bon sang, vous avez tant de boulot à faire pour ce cours, dit Beckett. Je suis content d'être resté dans le cours d'anglais ordinaire.

— Dis, Dan, nous parlions justement de *Macbeth* avant que tu arrives. Tu planifies y assister?

— Ouais, à ce qu'on m'a dit, le décor est incroyable, affirma Tariq, qui referma la porte de sa case avec fracas.

— Je ne savais même pas que l'école présentait la pièce *Macbeth*, dit Dan. C'est une production du club d'art dramatique ou quoi?

— Oui, et Annie Si y tient un rôle. Une raison suffisante pour y aller.

Beckett décocha un sourire espiègle vers les garçons, que Dan lui rendit à peine, puis le groupe s'engagea dans le couloir. Dan ne savait pas quel était le prochain cours des trois comparses, mais même s'il n'avait pas réellement fait de boulot à la bibliothèque, sa destination était bel et bien le cours avancé de littérature au deuxième étage. Ce n'était pas son cours préféré, mais Abby avait lu la majorité des livres du syllabus et avait promis de lui donner un résumé à un moment ou l'autre, ce qui améliorait les choses.

— Nous devrions aller voir la pièce, fit Tariq.

Il portait un pull trois fois trop grand pour lui et un pantalon moulant. Sa tenue lui donnait l'air d'une de ces figurines à la tête géante qui bouge.

— Et tu devrais te joindre à nous, Dan. J'arriverai peut-être à obtenir des billets gratuits. Je connais le technicien en chef.

— Je ne sais pas. Je n'ai jamais vraiment aimé *Macbeth*. Ça affecte trop les gens comme moi qui souffrent d'un TOC, dit Dan, pince-sans-rire, tout en frottant avec acharnement une tache invisible sur sa manche.

Missy et Tariq le fixèrent d'un regard vide.

— Vous savez? fit-il avec un faible gloussement. «Va-t'en, tache damnée[1]!»?

— Oh, c'est une réplique de la pièce? demanda Tariq.

— Ouais, c'est... C'est, euh, l'une des répliques les plus connues.

Il fronça les sourcils. Abby et Jordan auraient saisi la blague. La pièce *Macbeth* ne faisait-elle pas partie des lectures obligatoires à l'école?

— En tout cas, à plus tard, les amis.

Dan se sépara du groupe pour monter au deuxième étage. Il sortit son téléphone et décocha un texto rapide à Jordan et à Abby : «Personne ici ne comprend mon sens de l'humour. À l'aide!» Vingt minutes plus tard, alors qu'il était

1. N.d.T.: Dans la traduction française de la pièce par Victor Hugo.

assis, mort d'ennui, dans sa classe, Jordan n'avait toujours pas répondu, et Abby lui avait envoyé un tiède «MDR».

Qu'est-ce qui clochait? Où étaient passés ses amis? Ce n'était pas comme s'ils étaient terriblement occupés... La semaine précédente, Jordan lui avait indiqué lors d'une discussion sur Facebook que ses cours étaient mortellement assommants et qu'ils ne représentaient aucun défi, après les cours du programme préparatoire du Collège du New Hampshire. Dan avait sympathisé, mais pour parler franchement, les cours constituaient l'élément le moins marquant de son été au New Hampshire. C'étaient les événements survenus dans leur résidence, Brookline — un ancien hôpital psychiatrique dirigé par un directeur à l'esprit tordu, Daniel Crawford —, qui repassaient constamment dans sa tête.

Cependant, quand il n'était pas occupé à se remémorer ce *petit* détail à propos du directeur, il songeait à Jordan et Abby. Dans les premières semaines après leur retour du campus collégien, il avait reçu un flux constant de textos et de courriels, mais à présent, ils se parlaient à peine. Missy, Tariq et Beckett n'étaient pas trop mal, au fond, mais Jordan et Abby étaient différents. Jordan savait comment jouer avec ses nerfs, mais il s'y prenait toujours de façon bon enfant et faisait rire le groupe. Et si Jordan poussait un peu trop la note, Abby était là pour le réprimander et rétablir l'équilibre. En réalité, elle était le pilier qui gardait le groupe solide — un groupe qui, dans l'esprit de Dan, méritait de rester uni.

Dans ce cas, pourquoi ses amis l'ignoraient-ils?

Dan jeta un coup d'œil à l'horloge et poussa un grognement. Il restait encore deux heures avant la fin de la journée, deux heures avant qu'il puisse filer à la maison et aller en ligne pour voir si ses amis avaient envie de bavarder.

Il soupira et s'affaissa sur son siège, puis rangea son téléphone à contrecœur.

Il était étrange de songer qu'un lieu aussi dangereux que Brookline les avait rapprochés alors que la vie normale les éloignait les uns des autres.

✗ ✗ ✗ ✗ ✗ ✗

Un sandwich au beurre de cacahuètes à moitié mangé était posé sur une assiette près de son portable. À ses pieds, des feuilles d'arbre s'empilaient sur le manuel de son cours avancé en histoire. Habituellement, l'air vif de l'automne l'aidait à se concentrer, mais plutôt que de faire ses devoirs (comme il aurait dû le faire), il passait en revue le dossier qu'il avait monté sur Brookline. Au terme du programme préparatoire, Dan s'était assuré d'organiser ses notes, la recherche qu'il avait effectuée et les photographies qu'il avait recueillies dans un seul dossier bien en ordre.

Il fut surpris en constatant qu'il le consultait plus souvent qu'il aurait dû. Même avec tous ces documents originaux, l'histoire du directeur était terriblement incomplète. Après avoir appris qu'il était peut-être parent de celui-ci par l'entremise de ses parents biologiques — et que cet homme horrible était peut-être son grand-oncle ou même son homonyme —, Dan avait l'impression qu'il y avait un trou dans son histoire personnelle, un mystère qu'il avait besoin d'élucider.

Pour l'heure, cependant, son dossier n'était qu'une distraction lui permettant de passer le temps tandis qu'il attendait que Jordan et Abby ouvrent une session. Quelle était l'expression que son père avait l'habitude de dire déjà? «Dépêche-toi d'attendre...»

— Est-ce que je pourrais être plus pitoyable? marmonna Dan, qui enfonça les deux mains dans sa chevelure sombre et ébouriffée.

— Je crois que tu es très bien comme tu es, mon chéri.

Bon, il valait mieux qu'il garde pour lui ses apartés moroses à l'avenir. Dan leva les yeux et aperçut sa mère, Sandy, qui lui souriait depuis la véranda. Elle tenait une tasse fumante de chocolat chaud qui, il l'espérait, lui était destinée.

— Tu travailles fort? demanda-t-elle en faisant un signe de tête vers son manuel d'histoire oublié à ses pieds.

— J'ai presque terminé, répondit-il avec un haussement d'épaules.

Il accepta la tasse de chocolat chaud de ses mains courbées; les manches de son pull recouvraient ses doigts.

— Je pense que j'ai droit à une pause de temps à autre.

— C'est vrai, dit Sandy en lui adressant un demi-sourire contrit. C'est seulement que... Eh bien, il y a quelques mois, tu semblais si impatient à l'idée d'envoyer une demande d'admission anticipée à l'Université Penn, mais nous voilà en octobre, et l'échéance approche à grands pas.

— Je dispose encore de bien du temps, fit Dan d'un ton peu convaincu.

— C'est peut-être le cas pour la rédaction de ta dissertation. Mais ne crois-tu pas que les gens du bureau d'admission trouveront étrange que tu aies cessé toutes tes activités parascolaires durant ta dernière année? Ne pourrais-tu pas obtenir un stage? Même si ce n'est qu'un jour par fin de semaine, je crois que ça ferait toute la différence. Et peut-être que tu devrais visiter d'autres campus aussi. Tu sais, les demandes anticipées, ce n'est pas pour tout le monde.

— Je n'ai pas besoin d'activités parascolaires tant que je maintiens ma moyenne. Et par ailleurs, le CPNH va être un atout extra sur ma demande.

Sandy fronça ses sourcils pâles, et un vent frisquet vint ébouriffer ses cheveux qui lui allaient jusqu'aux épaules tandis qu'elle détournait le regard pour fixer les arbres entourant la véranda. Elle serra les bras autour d'elle et secoua la tête. C'était toujours la même réaction quand le sujet du CPNH venait sur le tapis. Jordan et Abby avaient pu maquiller et masquer la vérité au sujet de Brookline à leurs parents, mais ceux de Dan connaissaient toute l'histoire, plus ou moins. Ils avaient été présents lors de l'interrogatoire de la police, avaient entendu Dan relater le moment où il avait été attaqué et plaqué au sol… Simplement mentionner l'endroit en leur présence était comme chuchoter un juron.

— Mais c'est d'accord, fit Dan avant de souffler sur son chocolat chaud. Je peux essayer de trouver un stage ou un truc du genre. Pas de soucis.

Le visage de Sandy se détendit, et ses bras retombèrent contre ses flancs.

— Vraiment? Ce serait génial, mon grand.

Dan opina de la tête et alla même jusqu'à ouvrir une nouvelle fenêtre de navigation sur son portable pour lancer une recherche. Il tapa «Stage dans un zoo» dans le moteur de recherche et inclina légèrement l'écran hors de la vue de sa mère.

— Merci pour le chocolat chaud, ajouta-t-il.

— Avec plaisir.

ADA
éditions

www.ada-inc.com
info@ada-inc.com

www.facebook.com/EditionsAdA
www.twitter.com/EditionsAdA